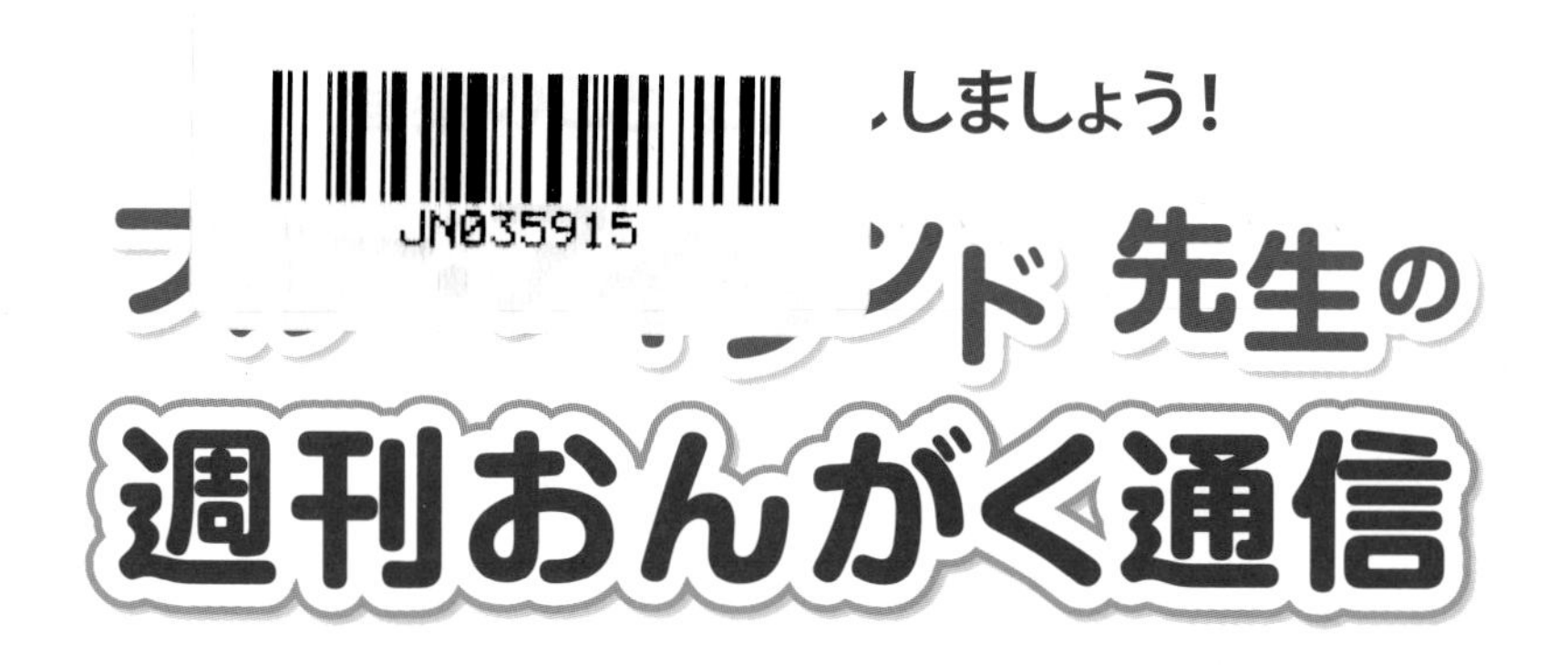

文と絵 青島広志

Gakken

まえがき

私たちとご一緒に！

誰かと話をすることが大好きです。一番はじめの話し相手は、一緒に住んでいた祖母でした。兄弟がいなく、両親が共稼ぎだったこと、足が悪くて外では遊べなかったからです。家には祖父の形見のオルガンがあって、それを弾けるようになったのも祖母のおかげでした。幼稚園には祖母に背負われて通ったのですが、今度はそこの先生が話し相手になってくれました。なぜか、あまり同年齢の友だちはできませんでした。

小学校にあがってすぐ、祖母が病気で長く入院しました。話し相手は本の中の登場人物だったり、買ってもらったピアノに映る自分に変わりましたが、それほど淋しさは感じませんでした。もしこれがずっと続けば、空想の世界だけに暮らす人間になっていたでしょう。担任の先生はそれを感じたのか、模範的な社会人になれるように誘導なさったのですが、音楽の先生が認めてくださり、音楽室に入りびたるようになりました。それは中学生になってからも続き、合奏や合唱の楽しさを知りました。そして高校生になったとき、音楽家を目指す同級生と会ったのです。しかし困ったことに、彼らとは友人であると同時に、ライバルでもあるので、競争しなければな

らず、専門家の道に進むことは、はばかられました。

そして今、65歳になったB（ブルー・アイランド＝青島）がいます。美しいものに対して憧れの気持ちを抱いているので、音楽を職業とはしていますが、誰かと競い合うことはありません。自分のことを慕ってくださる人には、誠意をもって応えているつもりです。そんなBに、日本一の新聞社から、小学生向きに音楽の話を書かないか、というお話が来ました。直接喋るよりも、何千倍もの相手と出会えると思って、二つ返事でお引き受けしました。文章も音楽と同じで、大切なコミュニケーションの手段なのですから。

はじめの約束では、毎週日曜日に、３か月という条件でしたが、気がつくと3年と3か月が過ぎていました。本来はその新聞社から出版する予定でしたが、小学生の気持ちをつかんでいる出版社Gが、すぐさま引き受けてくださったのです。

現在、最も親しい話し相手であるM君（髭の男性）と、柴犬Nが、かなりの頻度で画面に登場します。コンピューターを介して人との接触は好まないBにとって、この二人は一番の理解者です。では、B・M・Nのトリオと一緒に、いざ、音楽の世界へ出発しましょう！

B＝ブルー・アイランド＝青島 広志

もくじ

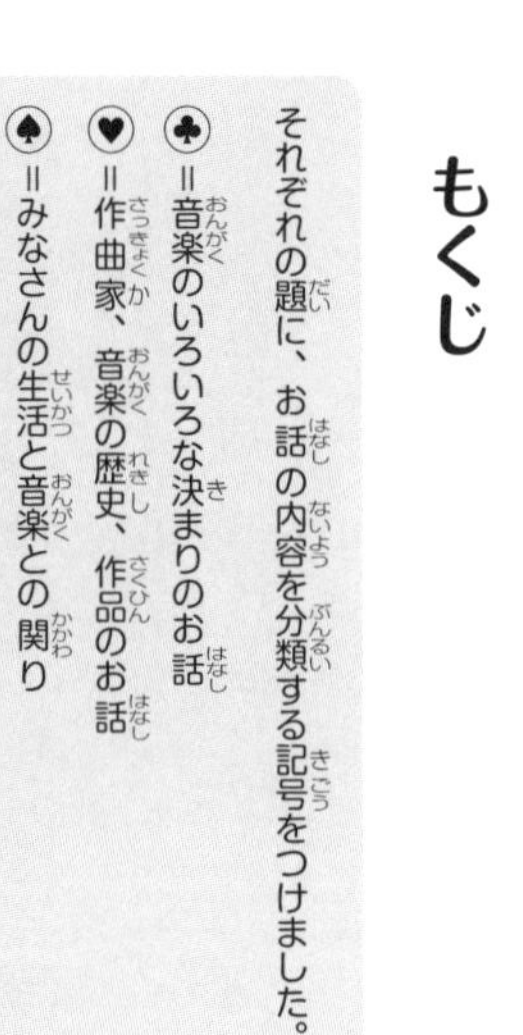

それぞれの題に、お話の内容を分類する記号をつけました。

♣＝音楽のいろいろな決まりのお話
♥＝作曲家、音楽の歴史、作品のお話
♠＝みなさんの生活と音楽との関わり
♦＝歌うことや楽器のお話

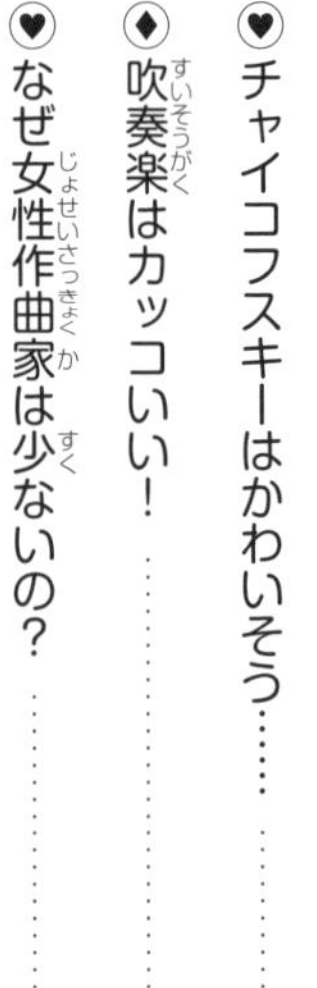

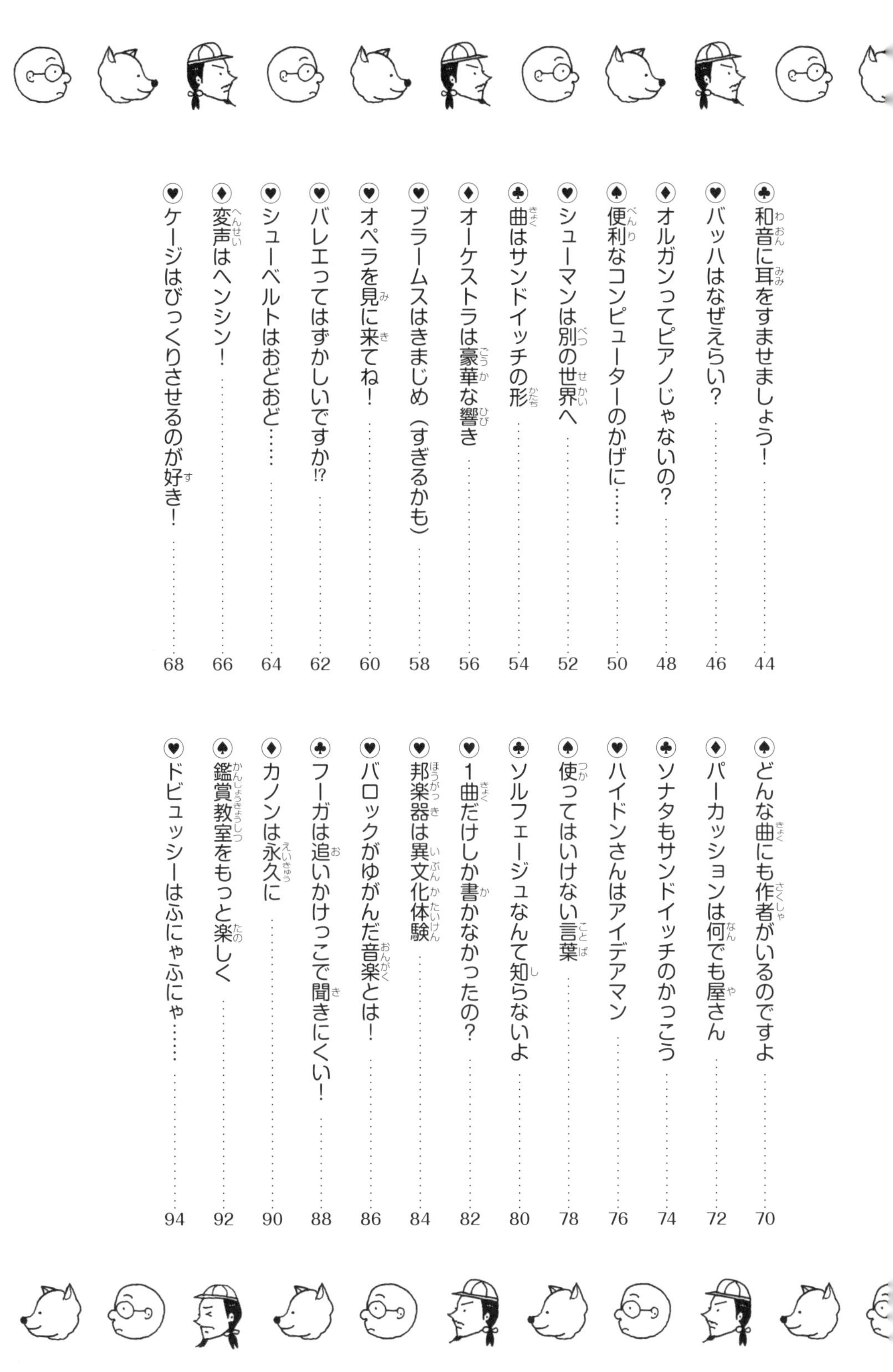

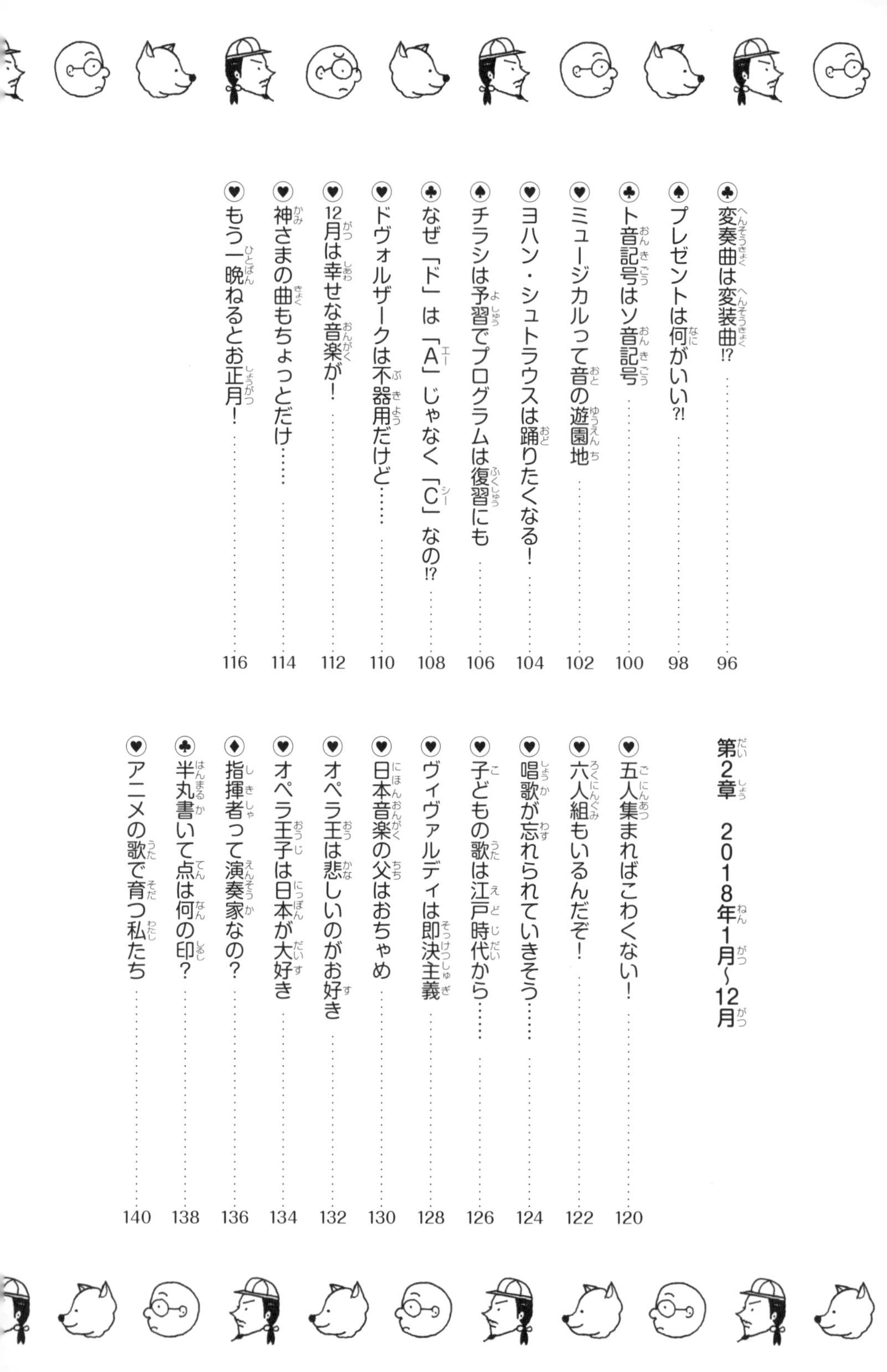

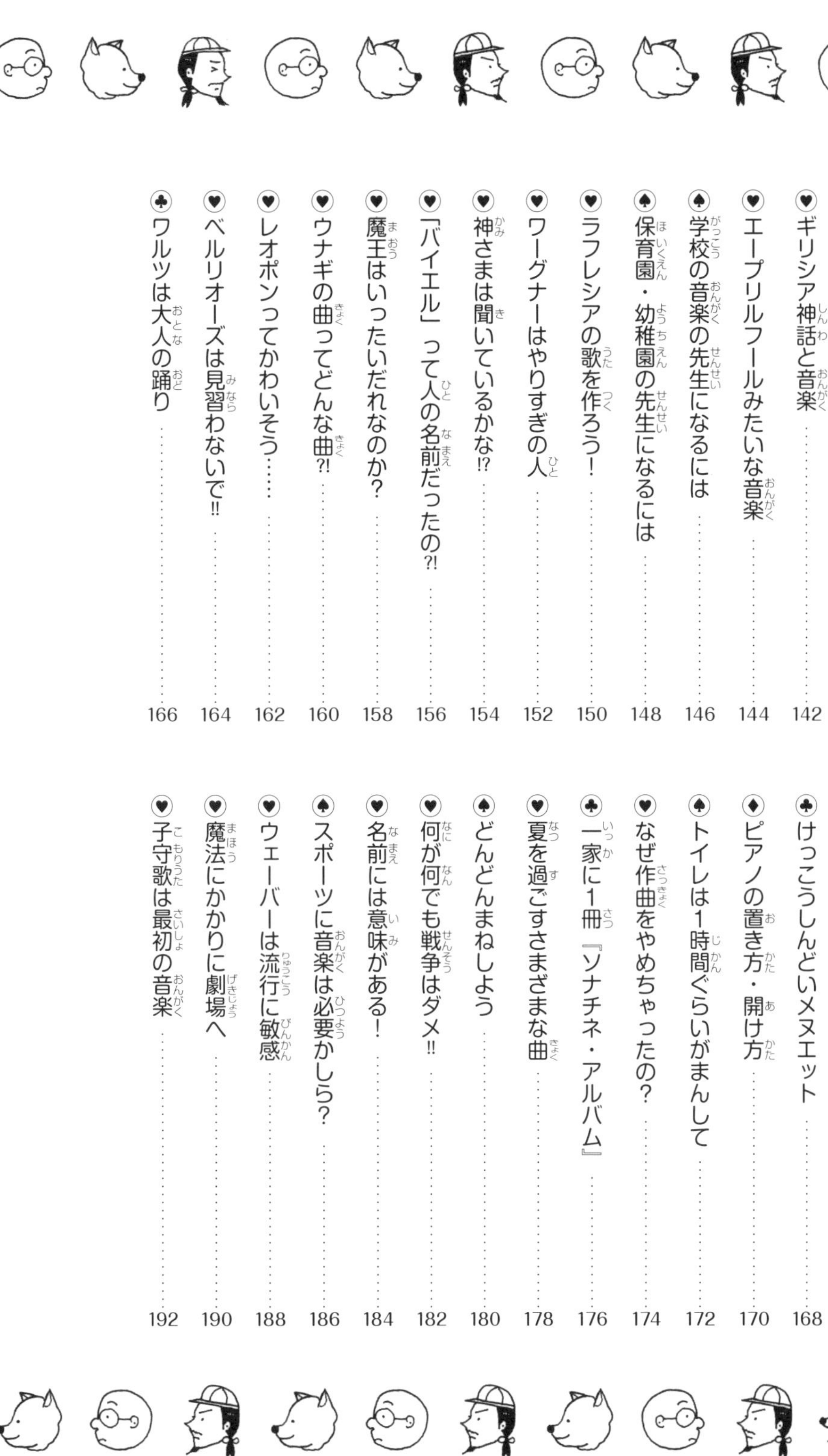

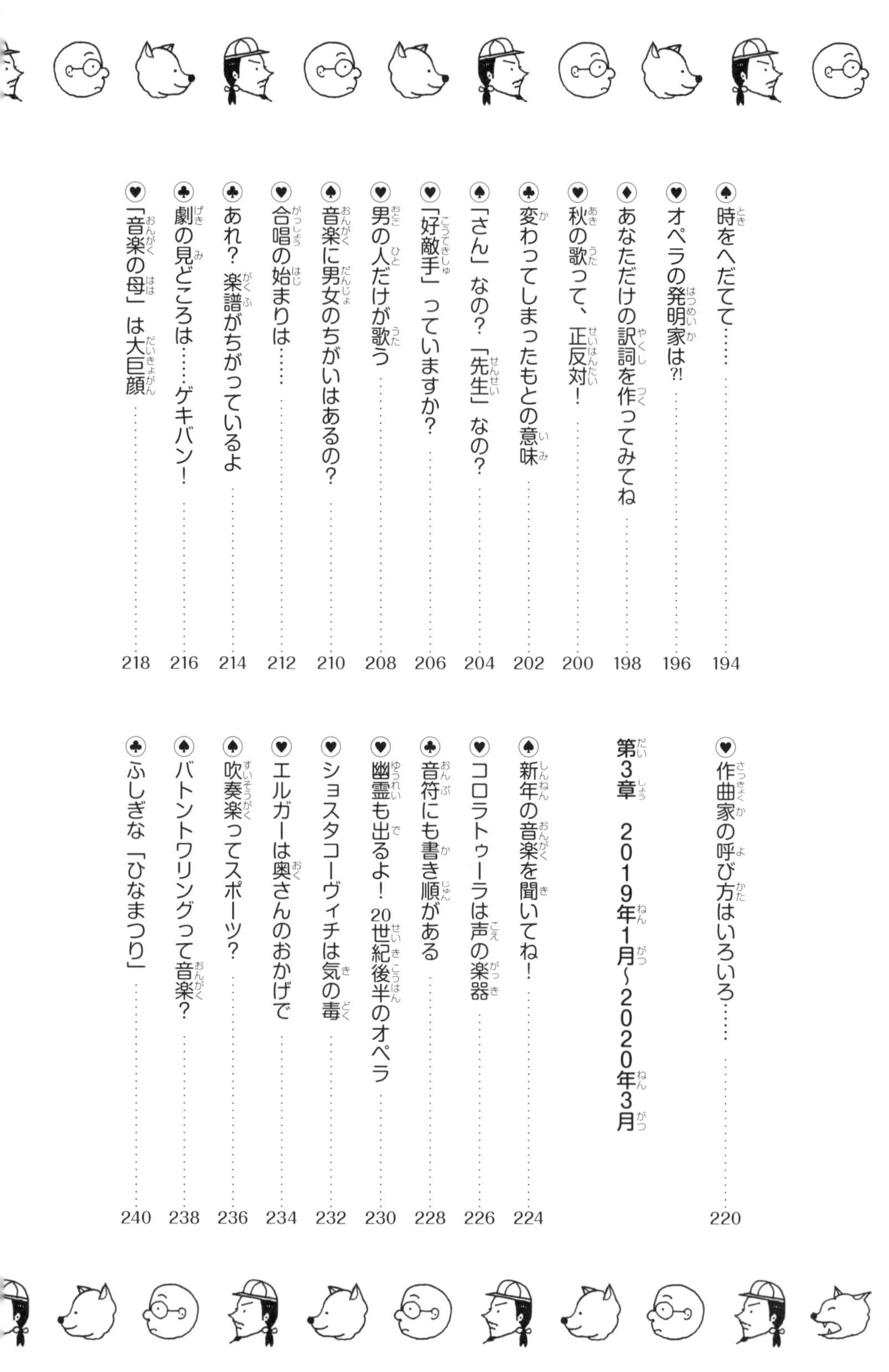

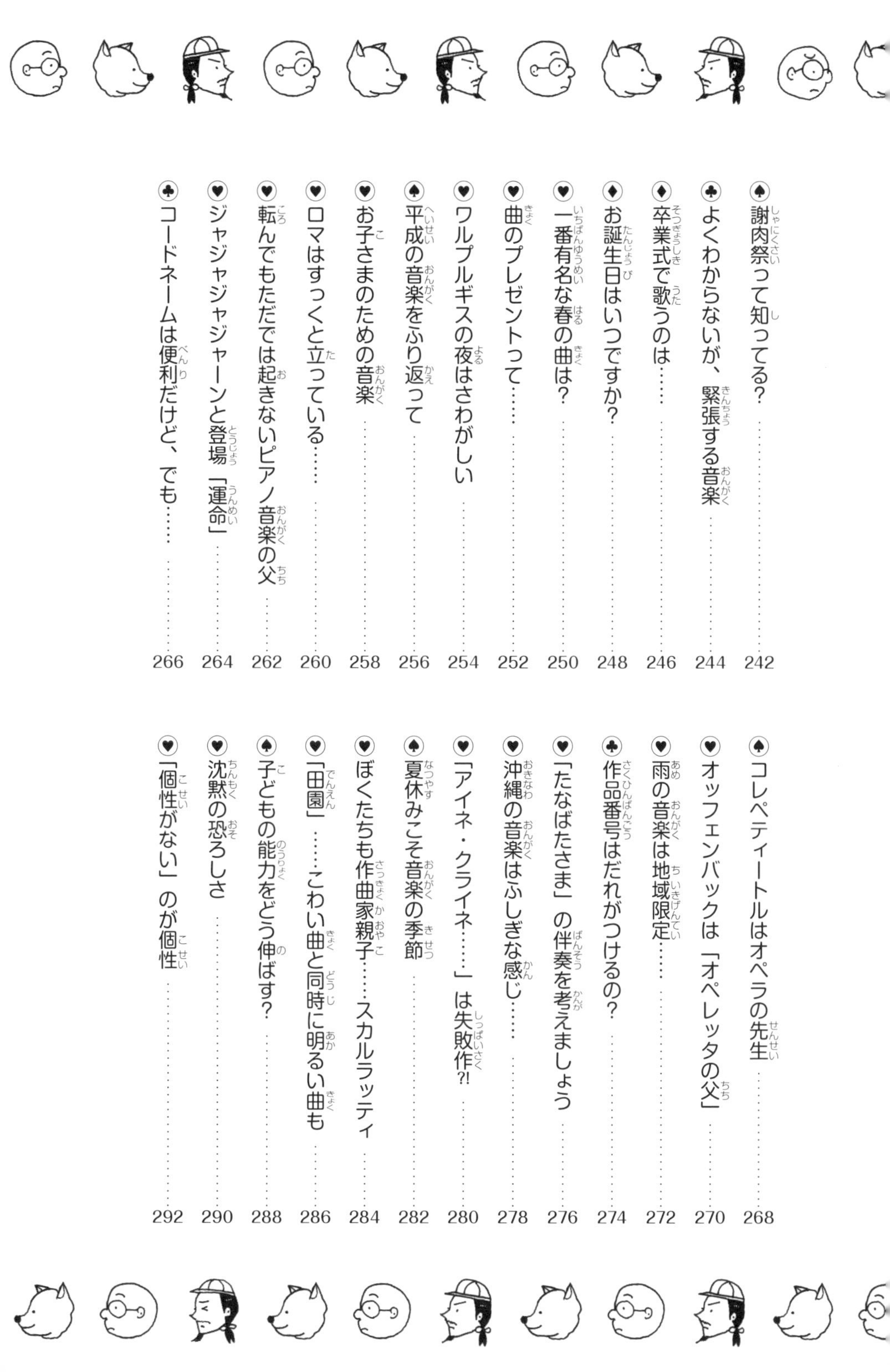

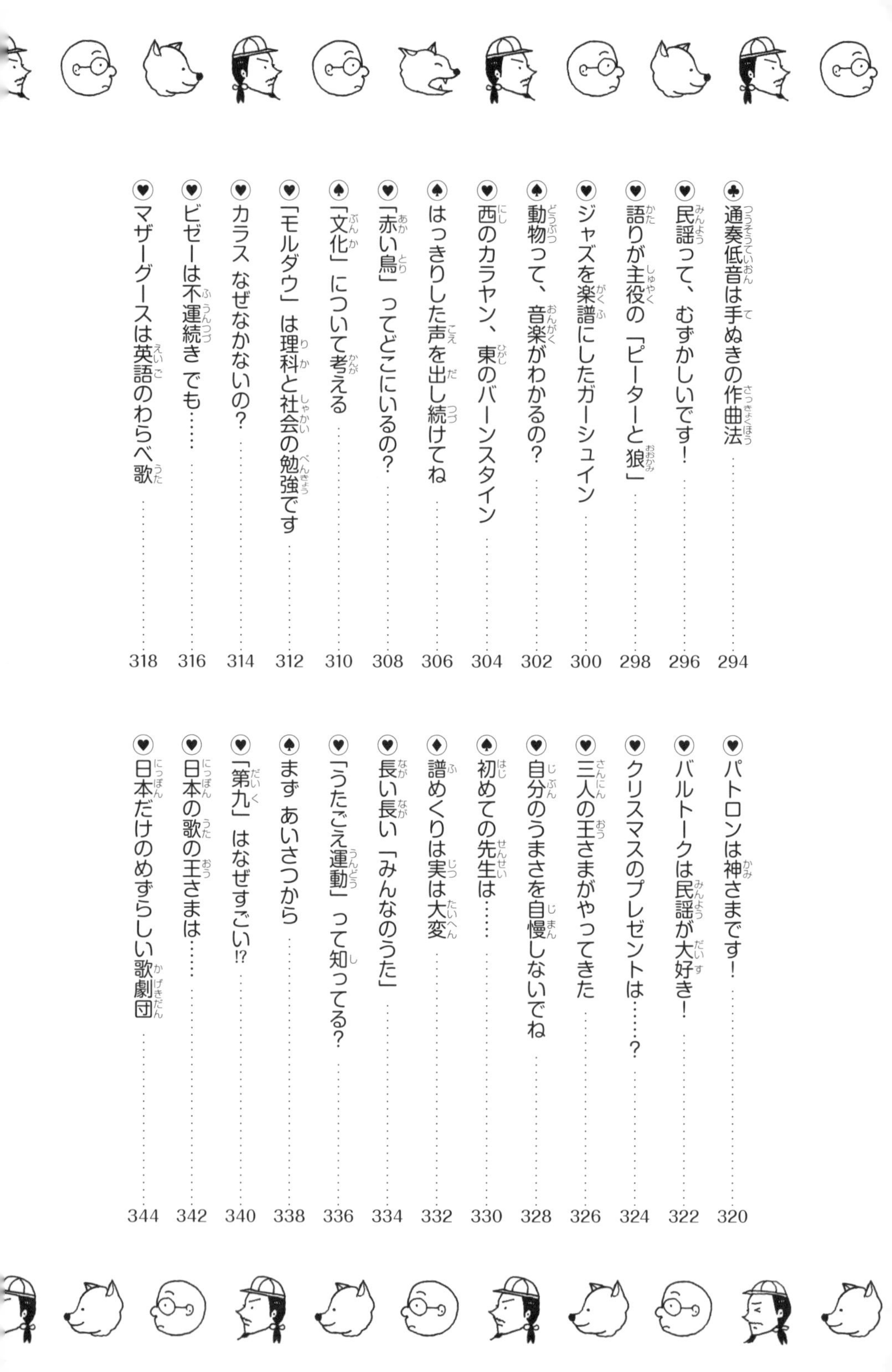

13、119、223ページのイラストに
自由に色をつけて、
楽しいページにしてみてね！
その前の
ページもね！

山手線K駅をおりて
古い和菓子屋の わきを進むと
大きな庭のある お屋敷が見えてきます。

この本は
そこに長く住んでいる奥さまと
もと船乗りの ご主人にささげます。

第1章
2017年1月～12月

♥ベートーヴェンはなぜこわい？

——本人は、どう思っていたのかな

音楽室の壁にかけられていて、いつもにらみをきかせているベートーヴェン（1770〜1827年）。どうしてあんなにこわい顔をしているのでしょうか。

聴覚の障がいがあったためだけでなく、幼いころから、アルコール依存症の父親に暴力をふるわれながら、音楽の勉強をしたことによるのでしょう。心の中を打ち明けられる友人もいませんでした。しかし、作曲家のネーフェ先生が認め、曲を出版してくれました。13歳のときのことです。みなさんも困ったことがあったら、尊敬する年上の人に相談するといいでしょう。きっと力になってくれますよ。

ベートーヴェンはその後、わき目もふらずに作曲にはげみました。ベートーヴェンの生き方に問題があるとしたら、「いちずすぎる」ということにつきるでしょう。何かに打ちこむのは良いことですが、もう少し気楽に、いくつか好きなことを持つと、挫折したときに救われるものですが……。

「運命」という曲を聞いたことがありますか。「恐ろしい運命が扉をたたく」といわれたリズムが、どこを取っても現れます。とても強い意志を感じる音楽ですが、その強さに息苦しさを覚える人もいるほどです。なぜこのような作曲法を使ったかというと、たった一つの音型だけを使って、どのくらい長い曲を書けるかを試したのでした。この方法は後に続く作曲家たちの良い指針となっています。しかし残念なことに、戦争のとき、人びとを戦場にかり立てるという、まちがった使い方をされてしまいました。

音楽は聞く人に正しい勇気と希望をあたえるものです。日本で年末に演奏される「第九」は、もともと器楽だけの曲だった交響曲に、初めて合唱を導入して人類の平和をうたいあげています。一般の人たちが参加できる公演もありますから、中学生になったら一度は歌ってみてください。大きな達成感が得られて、晴れ晴れした気分が味わえるでしょう。

人間は自分で自分の体と心を守る力を持っています。だれかが悲しみにしずんでいるとき、そっとベートーヴェンのCDを差し出してあげましょう。

■初めての音楽体験はベートーヴェンから……という人はとても多いのです。「運命」や「第九」といったいかめしい曲ばかりでなく、「エリーゼのために」「エコセーズ」のようにやさしいピアノ曲もありますから弾いてみてね！

第1回／2017年1月8日

♥モーツァルトはとにかく楽しい！

――弾いたり歌ったりしてみよう

ベートーヴェンがまずはじめに目標としたのは、モーツァルト（1756～91年）でした。何しろ「神童」と呼ばれて、6歳のときには鍵盤を布で隠してピアノを弾いたり、ヨーロッパ中で演奏旅行をして大金をかせいだり、次々に作品を発表して評判になっていたからです。その曲は何の屈託もなく書かれ、聞く人に楽しみをあたえるのですから、あこがれるのは当然のことでしょう。

しかし、モーツァルトは性格的に少しばかり問題があったようです。幼いころからほめられ続けた人間にありがちなことですが、頭にひらめいたことを即座に口に出してしまう、たとえば、競争相手のことをけなすとか、他人の容姿について批評するとか……。そのために不愉快に感じた人もいたのでした。

こうした個性的な発想は、創造活動には大切なことですが、口に出さずにメモをしておくとか、言い回しを変える配慮が必要でしょう。また、学校にも通わなかったので、経済的な感覚も発達せず、独り立ちしてからは常に金欠状態でした。収入はあったはずなのに、一日で使い切ってしまうのですから！　そして奥さんのコンスタンツェもまた、輪をかけた浪費家だったのです。算数がきらいという人は多いですが、おこづかいを一日何円使えばいいか調べるためにも、割り算は大切ですよ。また、異性の友だちとのつき合いも必要なことですね。

でも、結婚が悪かったかといえば決してそんなことはなく、とくにすばらしい3作のオペラ「フィガロの結婚」「ドン・ジョヴァンニ」「魔笛」は、家庭を持って初めてわかる人間関係——愛と信頼、裏切りや和解までを音楽で描くことができたのです。とりわけ最後のオペラ「魔笛」は小学校でも取りあげることができ、終末の「パ・パ・パの二重唱」は男女の組に分かれて歌うと、その楽しさが増すでしょう。

ピアノを習っている人も、すぐに幼年期の「メヌエット」や、生徒のために書いたやさしい「ソナタ」を弾けるようになります。モーツァルトは、現実の世界が苦しくても、人びとに生きているのは楽しいと伝え続けていたのです。

■私、Bが何をおいても好きな曲はモーツァルトの作品です。やはり音楽は明るく、楽しいものでなければならないと思うからです。それに、初めて作曲する人のお手本になるのは、何といっても彼の曲なのですよ。

第2回／2017年1月15日

♣どうしてドレミ？

——何の意味だろう

音楽の最初の勉強は「ドレミ」を歌って音の高さを覚えることから始まりますが、なぜ「ドレミ」というのでしょうか？　ほかの言葉だっていいと思いませんか？　昔は「ドレミファソラシド」を「ドラネコソラキタ」なんて言ってましたけど……。

この理由は、はっきりしています。決めたのは、ほぼ1000年ごろにイタリアで修道士をしていたグイード・ダレッツォ（991または992〜1050年）という人です。彼は修道院で歌を教えていました。当時は歌を覚えるのに、歌詞をたよりに旋律を耳から聞くだけだったので、全員の音の高さがなかなかそろいませんでした。そこで彼が目をつけたのが、「歌を上手にしてください」という意味の「聖ヨハネ賛歌」という、昔から歌われていた、お祈りの歌でした。

この歌の始まりはちょうど1音ずつ上がっていて、その頭文字を音の名前に決めたのです。ラテン語で「ウト・レ・ミ・ファ・ソ・ラ」と始まりますが、「ウト」は言いにくいので、「神さま」を示す「ドミネ」の「ド」に変わりました。もとの歌にはなかった「シ」は「聖ヨハネ Sancte Iohannes」を意味するS

とＩがくっついて作られたという説もありますが、イタリア語の「はい」にあたる「スィ」ではないかともいわれており、後者のほうが信頼性が高いです。

ヨーロッパで広く使われているＡＢＣを音にあてはめる方法はなかったのかというと、こちらは、ドイツやイギリスで器楽のための読み方として用いられました。楽器が発達してくるのは１６００年ごろからですから、ずっと後のことになります。しかし、音そのものの高さを示すならともかく、旋律を歌うためにはドレミのほうが歌いやすく、楽器を弾く人たちも心の中ではドレミで歌っているはずです。外国の人といっしょに演奏するとき、言葉が通じなくても、ドレミ……さえ覚えていけばすぐに合わせることができるのは、とても便利でうれしいことです。

グイードさんの手には、読み方を教えるためにいろいろな印が書いてあったという伝説がありますが、私たちは「ドレミの歌」を歌って覚えるのがいいでしょう。

■なぜかBは、小さいころからドレミで歌うことは苦に感じませんでした。外国語も早くから始めれば良かった……。そうそう、「ドレミの歌」の詞と音の名前（音名）はちがっていますからご注意。

第3回／2017年1月22日

◆とくに男の子は歌ってね！――それはなぜかと言うと

学校以外でも音楽をやってみたいと思っている人はいませんか。もうすでにヴァイオリンやピアノを習っている人もいることでしょう。しかし、それらの楽器は買うのにお金もかかりますし、練習するのも一人きりでつまらなくなることも確かです。そこで小学生のうちに、ぜひとも合唱を体験することをおすすめします。

まず、楽器代がかかりません。声帯という、だれでも体の中に持っている器官を使って歌うだけだからです。楽譜代も器楽の場合より安いのがふつうです。何よりもみんなでいっしょに歌うので、上手下手がわかりません。はじめのうちは歌うまねだけしていてもいいのです。周りの人たちに影響されてかならず歌えるようになりますから。曲の内容も音だけではなく、言葉がありますから、具体的に理解でき、心から参加しようと思えるはずです。

音楽の歴史もまず歌から始まっています。教会の中で神さまをたたえるために歌う曲が、最高の音楽とみなされていました。そのころはキリスト教の考え方から男性しか歌えず、低い音は大人に、高い音は少年にまかされていたのです。

小学生、とくに男子はなるべくこの時期に歌っておくことをすすめます。人間には変声という現象があり、子どもから大人になると声が変化します。とくに男子は中学生になると声が劇的に低くなるのです。声の高さには四つの種類があり、高い方からソプラノ、アルト、テノール、バスです。はじめはだれもがソプラノとアルトです。しかし、男性は変声をへて、テノールとバスになってしまいます。そのときになって後悔しても、もう遅いのです。今のうちに高い声を使って、録音しておけば、またとない記録となるでしょう。歌だけなんてつまらないという場合には、動きつきの曲もあります。合唱団の先生がいろいろ考えてくださるでしょう。

バレエもふくめ、男性が必要なのに絶対数が少ない芸術はいくつもあります。さあ、あなたも将来のミュージカルスターを目指してくださいね！

■合唱団や音楽の学校などでは、男子は優遇されます。絶対的な人数が不足しているからでしょう。モテたかったら音楽をやるに限る……、でも男性用トイレが少ない施設もあるから心して。

第4回／2017年1月29日

♠あなたの校歌はどんな歌⁉

——作ったのはどんな人

始業式や卒業式に、みんなで校歌を歌うことでしょう。大勢の心が一つにまとまったようで気持ちがいいものですね。しかし、どの学校にも校歌があるのは、実は世界でもめずらしいことなのです。会社にも社歌といわれる歌がありますし、日本は歌を大事にする国なのですね。

明治、大正に作られた学校だと、すでに100周年をむかえていますから、その校歌も大変に古いものです。もしかしたら歌詞も話し言葉ではなく、文章だけに用いる特別な「文語体」で、意味がわかりにくいかもしれませんね。曲のほうはどうでしょうか。その作者はどんな人なのかご存じですか。北原白秋・山田耕筰、勝承夫・平井康三郎といったコンビだったら、それは校歌として最強の部類に入ります。何しろ日本の音楽史に残る名曲を作った人たちなのですから！　郷土の偉人や校長先生ということもあるでしょう。

校歌を作るのにはある決まりがあって、歌詞のほうは、まず教育理念や周囲の風物をおりこむことが求められます。四季それぞれの景色を3番までに入れるのはかなりむずかしく、しかも同じ字数とイントネーション（音の高低）にするのは相当な技術が必要です。「富士を仰ぎ」と書いても、時代とともに見えなくなる可能性も出てきます。曲については、二部形式（16小節）で書くことが多く、音の高低の範囲もほぼ1オクターブまでという程度で、後は作者にまかされているようです。実はそこに落とし穴があるのです。メロディーは歌心のある人ならだれでも書けますが、伴奏は和声学という作曲の勉強をし、ピアノが弾けないと書けないものです。古い校歌には、その伴奏の和音が音楽上おかしい曲が、かなりの数で見受けられます。先に述べた人たちの作品がすぐれているのは、実用性だけではなく、芸術的だからです。

校歌を歌っていてちょっと変だなと思う音の使い方があったら、心にとめておいて、音楽の先生にたずねてみてください。新しい伴奏が生まれるかもしれませんよ。

■Bが通っていた文京区立昭和小学校の校歌は、小林愛雄（「恋は優し野辺の花よ」の訳詞者）作詞、田村虎蔵（「金太郎」の作曲者）作曲でした。昭和初期のゴールデンコンビだったのですね。

第5回／2017年2月5日

◆ピアノって便利！――何でもできちゃう

コンピューターを操作できる人は、小学生にもたくさんいらっしゃるでしょう。それに加えて、ぜひあつかえるようになってほしいのは、ピアノを代表とする鍵盤楽器です。

何も先生について習わなくても、そばに置いてさわっていれば、かならず慣れて弾けるようになります。ほかの楽器は音を出すまでに組み立てたり、音合わせをしたりと、時間がかかります。しかし、鍵盤楽器はふたを開ければすぐ弾けますし、弦楽器だと音の出し方を覚えるだけでも何か月もかかるところを、指で押しただけで必要な音が出せるのですから。１本の指だけでもいいのです。

そして、何といっても、音楽を表現することに万能です。音楽には、メロディー（旋律）、リズム、和音の三つの要素があって、これを一人で一度に演奏できるのは、鍵盤楽器だけです。弦楽器や管楽器（笛やラッパの仲間）は和音が不得意、打楽器は主にリズムが得意です。

ですから、音楽家が必要なとき、第一に呼ばれるのは、まずピアニストです。一人だけで演奏会が開けますから。ほかの楽器や歌を専門にしている人でも、かならずピアノを習うのは、便利で簡単だからなの

です。しかし、一人で完全だということは、だれかといっしょに音を合わせるという楽しみを味わえないことになりますが、それもおまかせください。鍵盤楽器は合奏にもなくてはならない存在なのです。習っている人も、おりにふれて連弾や伴奏を経験してみてくださいね。

ピアノなんてきらいだ、音楽はやりたくないという人も、一度はさわってみることをおすすめします。将来、先生や保育、介護の仕事につきたいと思っている人は必要ですし、放送局や一般の会社に勤めても、音楽番組やイベントなどをまかされることがあるのです。そのときに「こういう曲」と言葉で説明しないで、ほんの少しでも弾いて聞かせられれば、すぐに相手に通じます。決して上手にならなくてもいいですから、安い電子鍵盤楽器をねだって、いつも机の上に置いておきましょう。

■場所や費用の関係でピアノが買えないという人は、卓上に置けるキーボードなら、おこづかいを貯めれば、すぐに手に入れることができますよ。あまり安い機種だと、触れた音が全部出ないことがあるので、調べてからどうぞ。

第6回／2017年2月12日

♥チャイコフスキーはかわいそう……

——今なら少しは幸せだったのに

同性の友だちを好きになったことはありますか。だれでも小さいころは男女問わず仲良くするものですが、大きくなるとたいてい異性に愛を移します。しかし中にはそうでない人もいて、チャイコフスキー（1840〜93年）もその一人でした。何も悪いことではありませんが、昔はあり得ないこととされ、とくにキリスト教においては禁じられていました。

チャイコフスキーは、19世紀ロシアの最大の作曲家です。ヨーロッパの中心部からはなれた国では、音楽教育が遅れて始まったこともあり、なかなか作曲家が生まれませんでした。その中で彼は大変な努力の末、「ロシア近代音楽の父」と呼ばれる存在になったのです。そして、そう呼ばれるからには、音楽のすべての分野にすぐれた作品を残そうと自分に言い聞かせつつ、得意ではない編成の注文にも全身全霊で向き合っていました。目標にしたのはやはりベートーヴェンで、壮大で力強い曲を書こうとしたのです。そして、私生活でも、女性を好きになろうと努力し、自分のファンだったアントニーナさんと結婚しますが、たえられず、すぐに別居します。

そのとき、彼の困りはてた状態を救ったのは、大富豪で、夫を亡くした女性のメックさんでした。彼女はチャイコフスキーを愛しており、毎年多額の援助をすることで気持ちを表したのです。二人は直接会わないことを約束し、600通（二人の手紙はどんどんみつかっているようです）におよぶ手紙だけでの交際を続けました。偶然出会ったことも一度だけあったのですが、知らんぷりをして通りすぎたといいます。おたがいにお金に関することで気まずい態度をとりたくなかったのでしょう。援助のおかげで彼は、書きたかった分野の大作、とくに三大バレエと呼ばれる「白鳥の湖」「眠れる森の美女」「くるみ割り人形」を書き、美しいものや、かわいいものへのあこがれをはっきり示しています。

メックさんからの一方的な手紙で14年にわたる関係は終わりました。それは彼女の親族が秘密をもらしたためだと思われますが、がっかりしたチャイコフスキーはこの世を去ったのでした。

■同性を好きになる人は、芸術家にかなり多くみられます。家庭や子どもにたいする愛情を、作品や演奏に注げるからではないかと思います。でも敬遠しないで話しかけてくださいね。きっとうれしく感じるでしょう。

第7回／2017年2月19日

◆吹奏楽はカッコいい！——見ても、聞いても、やっても

歌うのははずかしいし、ピアノやヴァイオリンを一人で練習するのはつまらないという人は、吹奏楽はいかがでしょうか。大勢で行動するので、まるで球技のようですよ。ただ、学校に吹奏楽部がないと、残念ながらできませんが。

古くはイギリスなどで宮廷の儀式に用いられた金管合奏がもとになっているので、日本でブラス（金管）バンドと呼ばれていますが、それはトランペットやトロンボーンなどが中心です。クラリネットやサクソフォンなどの木管楽器が入った編成は、後にアメリカで、野外パレードなどで演奏するために発展したもので、ウインド・オーケストラと呼ぶのが本当です。打楽器も入って、派手で大音量が出せる合奏になりました。吹く楽器は、弦楽器や鍵盤楽器と比べて、高度な技術に到達するのにそれほど時間がかかりません。半年もすれば合奏なら十分に参加できるようになるでしょう。

でも、学校の部活動ではいくつか問題があります。まず、あなたがやりたいと思っている楽器にかならずしも加われないことです。しかし、実はどの楽器も重要度は同じで、吹奏楽が好きな人は十分に対応で

きるようです。次に、みなさんにわたされるのが、その楽器だけが演奏する楽譜が書いてあるパート譜で、これだけでは音楽の全体像が見えないことです。かならず総譜（スコアといい、全員のパートが記されている）を見る必要があります。指揮者の先生にたのめば、見せてくださるでしょう。

また、楽譜に書いてある記号や全員で出している和音の性質、曲の作られ方などを知らない人がかなり多いこと。何よりもまず音楽をしているのだということを心にとめて、調べてほしいものです。

もっとも、20世紀になってアメリカで発達したということは、モーツァルトやベートーヴェンなど、それより古い作曲家は書いていないので、曲が片よりがちですが、最近では編曲されて楽しめるようになりました。

どうか小学生のころに手にした楽器を一生の友だちにしてくださいね。

■ただ、作曲や指揮をするのはかなり大変で、移調楽器という、実際の音とちがう高さが書かれているパートがあって、それに慣れる必要があります。Bはそのために長い間、近寄らないでいたものです……。

第8回／2017年2月26日

♥なぜ女性作曲家は少ないの？

——今はたくさんいます

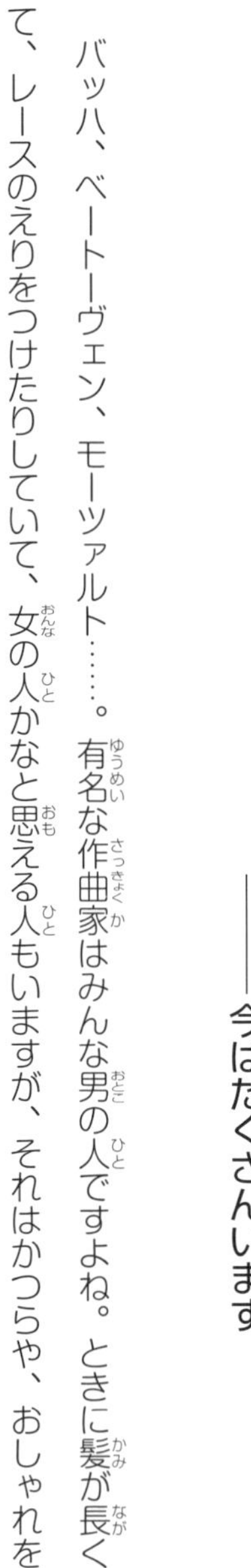

バッハ、ベートーヴェン、モーツァルト……。有名な作曲家はみんな男の人ですよね。ときに髪が長くて、レースのえりをつけたりしていて、女の人かなと思える人もいますが、それはかつらや、おしゃれをしているのです。

でも、よく知られた曲を書いた女の人はたくさんいます。「アロハ・オエ」という別れの歌は、ハワイ最後の女王、リリウオカラニ、下校の放送でよく使われる「アニー・ローリー」はイギリスのスコットさん、ピアノの発表会でしばしば出てくる「乙女の祈り」はポーランドのバダゼフスカさんの作曲です。何よりも音楽史上初めて名が残る作曲家といわれるのは、ビンゲンのヒルデガルトという女性で、修道院の中でなんと６００曲もの聖歌を残しています。

そうした中でも有名なのはメンデルスゾーンの姉だったファニーで、弟よりずっと才能が高く認められていましたが、15歳の誕生日に父親から「これからは弟の名で発表するように」と命じられて、次に自分の名を公表したのは、結婚後、画家の夫のすすめによってでした。しかしその直後に世を去ってしまいます。現在、筆跡鑑定などでファニーの曲が次々と発見されているので、作曲者名もぬりかえられることでしょう。シューマンの奥さんのクララも、結婚したとたん、夫から作曲を止められ、その後はピアニストとしての一生をおくることになります。マーラーの奥さんのアルマも「君が作曲すると自分の能力がなくなってしまうように感じる」と言われ、それまで書いていた楽譜の多くを焼かれ、夫の助手を務めるにとどまりました。フルート協奏曲を書いたシャミナードは、女性は大学に行くべきではないという親の考えで、家庭教師について音楽の勉強をしました。

昔は、主としてキリスト教の考え方から、女性は創造にたずさわるべきではないと教えられていたのでした。しかし、現在は全く自由です。美しい音楽を作り出す仕事はもちろん女性にもできます。男女問わず、いい曲をいっぱい送り出してくださいね。

■体力の差を問題にしなければ、性差による職業のちがいはありません。しかし現実にはまだ残っていると感じます。これを直すためには女性の側だけでなく、男性側の意識改革がぜひとも必要です。まず結婚制度から！

第9回／2017年3月5日

♠音楽の仕事って楽しいのかな？

――うまくいっているときは

将来、音楽を仕事にしようと考えている人もいらっしゃることでしょう。華やかで楽しそうに見えますから、あこがれるのは当然ともいえるのですが、本当はどんなものでしょうか。

まず、舞台で演奏する人たちのうち、指揮者や独奏者と呼ばれる人は、楽しいことは確かですが、常に不安をいだいています。現在の技術が落ちたら……。健康状態が悪くなったら……。もう仕事になりません。それに、いつも会場を満席にするだけのファンも持っていなければなりません。売れているときはいいけど、落ち目になったら悲しいですよね。また多くの場合、自分でも入場券を売らなければなりません。

オーケストラや合唱の仕事は、ひとたび入団してしまえば定年まで何とかなるものですが、自分のやりたい曲を自由には選べません。自分の個性が出せないので、目立ちたい人には不向きでしょう。

学校や教室で音楽を教える仕事もありますが、他人を向上させるために、心身ともにつくすことが必要とされます。最近では、場合によっては、生徒さんの機嫌を取らなければやっていけないこともあるようです。

保育や介護にも音楽は使われます。他人にサービスをするという音楽の魅力の一つの面は持っていますが、もう一方の魅力である芸術面は、ややへってしまいます。

音楽マネージャーや音響スタッフとなると、ほかの音楽家の世話をする意味でサービス業の一つです。もはや自分では演奏しません。作曲や編曲の仕事もこれにふくまれるでしょう。

音楽の仕事につくためには、やとってくれる相手が必要です。この業界は人と人のつながりでできているので、できるだけ地位の高い人に認めてもらえると、うまくいく可能性が高まります。その出会いは偶然起こることもあるので、それまでに音楽の技術とあなたの人がらをみがいておいてください。

そして、運良く仕事にありつけたなら、それをいつもうれしいと思いましょう。

■Bは楽しいというより、ありがたいと思ってやっています（ときどき卑屈になってしまいますが）。でも、感染症や自然災害など、百年に一度の率で、音楽の仕事がなくなる時期がやってくるのです。そのとき、ほかの仕事ができれば安心なのですが。

第10回／2017年3月12日

♥日本で初めての作曲家は……——女の人です

明治時代に西洋音楽が入ってきて、「ドレミファ……」の音階で作曲をしたのは、滝廉太郎（1879～1903年）が初めてだといわれています。それは正しいようで、実は正しくありません。彼を東京音楽学校（現在の東京芸術大学）で教えた女性、幸田延（1870～1946年）がいるからです。

『五重塔』という小説を残した文豪、幸田露伴や、千島列島を探検した郡司成忠を兄に持ち、明治3年（1870年）に生まれた延は、日本で初めての音楽教育機関だった音楽取調掛の第1期生です。卒業後、15歳で同校の先生になります。しかし、それに満足せず、まず国の援助で勉強をしに行く官費留学の第1期生として、アメリカのボストンに行きます。

帰国後、今度は当時の音楽の中心地、オーストリアの首都ウィーンへ留学します。計6年間の勉強の末、ヴァイオリン、ピアノ、音楽理論の科目である和声学と対位法、作曲のすべてで1位になって帰国します。その演奏会は質、量ともにすばらしいものでした。メンデルスゾーンのヴァイオリン協奏曲を弾き、シューベルトとブラームスの歌曲を歌い、ハイドンの弦楽四重奏曲の第1ヴァイオリンを務めました。さらに、

バッハの曲を編曲して、おそらく指揮をしています。現在でもこの全部をこなせる人はいないでしょう。

そして東京音楽学校と名前が変わった母校の教授となって、教育にも抜群の力をふるうのですが、ここで同じ学校の男性教師たちの妨害にあったのでした。女性の地位が低かった時代です。しかし、彼女はだれよりも高い給料をもらい、だれよりも高い能力を誇り、外国人教師とも対等に話をしていました。と、なると、やっかみを受けるのは当然です。ある日出勤すると、男性教師たちに取り巻かれ、「あなたがいると学校の風紀がみだれる」と言われて、むりやり退職届に印鑑を押させられたのです！　その後、幸田延は皇后をはじめとする女性たちにピアノを教え、終戦の翌年、昭和21年（1946年）に、独身で、76歳の生涯を終えました。

ウィーン留学中に作曲したヴァイオリン・ソナタを聞くと、この人が世界的な作曲家の一人であることがすぐにわかることでしょう。

■これも性差による悲劇で、日本現代音楽の黎明期の、大きな汚点となりました。でも水面下ではもっとひんぱんにあったはず。幸田 延の「ヴァイオリン・ソナタ」は、BがTV「題名のない音楽会」で紹介して広まりました。

第11回／2017年3月19日

♥ポピュラーって？　クラシックって？

――楽しみ方のちがい

　ロックなどポピュラー系のコンサートは楽しいけれど、オーケストラなどのクラシックの演奏会はかた苦しくてきらい、という人は多いと思います。それもそのはずで、大衆向けのポピュラー音楽はリズムに乗って体を動かしてもいいし、となりの人としゃべってもかまわないのに、古典的なクラシック音楽は、静かに聞くことが求められているのですから。それは、それぞれの成り立ちがちがっているからです。

　この二つの音楽のもとは同じだったと、よくいわれます。しかし、実は別のものです。お祭りや酒場などで演奏されていたのがポピュラーで、教会や貴族の館で演奏されたのがクラシックの始まりです。だから、ポピュラーはみんなで踊ったり、歌ったりするのがあたりまえで、クラシックは気取った感じがするわけです。お祭りのときの音楽は、だれが作ったのか名前が伝わらず、民謡とひとくくりにされることが多かったのです。

　ただし、クラシック系の作曲家がそうした娯楽のための音楽を書くこともありました。1600年ごろのオランダでは教会で弾くオルガン曲に、流行歌「おかしなシモン」を使ったり、モーツァルトはお金に

困って、酒場で踊るための「ドイツ舞曲」を書いたりしています。シェーンベルクやサティといった20世紀の作曲家も、舞台やダンスホールがある酒場で歌うための曲を作っていますよ。

しかし、19世紀後半のアメリカで、ポピュラー音楽がクラシックから完全に独立しました。奴隷としてアフリカから連れてこられた黒人たちが、故郷の音楽をもとに独特のリズム感を生かしてジャズをはじめ、ヨーロッパにも伝わりました。しかも、アメリカは世界中からさまざまな民族が集まってきています。だから、どんな人にも受け入れられる楽しい音楽が生まれたのです。

録音やテレビの発達にも助けられて、20世紀にはフォークやロックなどに進化します。アメリカにはクラシックの伝統がないことも幸いでした。今では、日本も代表的なポピュラー音楽の発信地なのです。

■絵の中に登場するM君（ひげの男性）は、何を隠そう、ロックバンドのドラム奏者です。ふだんはBの手伝いもしてくれているのですが、クラシックも好きになってきたみたい……。Bは彼の演奏を聞いて逃げ出しましたが。

第12回／2017年3月26日

♠あがっちゃう人はこうしてみよう
――自分をかわいいと思えば

人前で何かをするのは苦手、という人がいます。音楽の時間に一人で歌ったり、合唱コンクールでピアノ伴奏をしたりするときに、そう感じるみたいですね。覚えていた歌詞が出てこなかったり、弾く鍵盤をまちがったりしてしまうこともあるようです。そんな場合はどうしたらいいのでしょうか。

一番いいのは、あたりまえすぎますが、とにかく十分に練習することです。言葉が自然に口をついて出てくるように、指がひとりでに動くように、けいこをすれば大丈夫なはずです。

しかし、不安な気持ちはとつぜん起こることですから、その場での対処の仕方としては……。

まず、深呼吸をすること、柔軟体操をすることで、体をリラックスさせましょう。スポーツ選手がよくやっていることです。次に少しだけ何かを飲んだり、食べたりすること。本当は温かいものがいいのですが、学校などでは水を飲みましょう。そして、精神的に落ち着き、勇気を出すためには、友だちとおしゃべりをしたり、肩をたたいてもらったり、握手をしてもらったりするといいですよ。そのためには、仲の良い友だちを作っておくことが大切です。事前の練習も、まず家族の前で、次に仲良しの友だちの前で、そしてクラス全員の前で……というように、次第にハードルを高くしていくと、慣れるものです。

「あがる」という心理状態は人間にはよくあることです。ピアノの発表会の当日、緊張からか、熱を出して欠席する人もいます。ピアニストで、後にポーランドの初代首相になったイグナチ・ヤン・パデレフスキには、逃げ出さないように、いつも見張りの人がついていました。

しかし、どんなに緊張しても、かならずやってみてください。それぞれの顔や身長がちがうように、人間には個性があって、何をやっても他人よりおもしろいところがあるものです。それに、小学生のうちは大人よりかわいいという特権があります（赤ちゃんには負けますが）。写真や録音などの記録を残しておけば、またとない良い思い出になりますよ。

■Bはすごくあがる性格でした。今でもそうです。しかし、本番がふえてきて、それが日常になると、そうも言っていられなくなりました。でも慣れてしまうのは逆に困ることなのです。新鮮な気持ちを忘れないようにします。

第13回／2017年4月2日

♥ショパンは病気がち……
――いい友だちが必要

結核という病気をご存じですか。病原菌が肺に入ると血をはくこともあり、全身が衰弱し、死にいたることもあるという病気です。かつては不治の病といわれていました。日本でも昭和40年代までは、どこの学校にもクラスに5人くらいいて、プールに入るのを止められました。ツベルクリンという結核菌に感染したかを調べる薬液を注射し、そのあとがはれると「陽転」といい、結核の感染がうたがわれます。そうなればプールに入らなくてもいいので、泳げない人はみんなコンパスの針でかきむしったものでした（私もしました……）。

ショパンは1810年にポーランドで生まれました。当時、音楽家になるには、オーストリアのウィーンかフランスのパリで認められる必要がありました。生まれつき体が弱かった彼は、仲良しの友人とまずウィーンに行きました。しかし、そこではヨハン・シュトラウス（子）が有名で張り合えず、おまけに祖国で内乱が起き、友人は帰ってしまいます。

すでに結核の症状が出ていたショパンは、一人で次の目的地パリへ向かいます。貴婦人たちの集まりでピアノを弾いていたとき、風変わりな女性と出会います。女性は、男性の服を着て、乗馬のむちを持ち、たばこをくわえて現れました。その女性はジョルジュ・サンドという小説家で、夫にきらわれて家を出ていました。ショパンはサンドと恋に落ちます。彼の病気はサンドの看病で少し良くなり、「雨だれの前奏曲」や「子犬のワルツ」などの名曲が生まれます。前者はスペインのマジョルカ島でいっしょにくらした家の軒からたれる雨の音を、後者は彼女の飼い犬が、しっぽを追いかけて回るようすを描いたものです。しかし、幸せは長く続きませんでした。サンドの息子がショパンをきらい、娘は逆に母親と、ショパンを取り合うようになりました。これではいけないと思ったショパンは、やっとの思いでロンドンへ行って演奏会を開きました。しかしパリにもどって、すぐに亡くなってしまいました。

　彼はベートーヴェンを代表とする古典派の次の時代、ロマン派に属します。ロマン派の曲は、感情と曲が結びついているのが特徴で、彼はそのとおり、自分を愛してくれる人がいるときに、すばらしい曲が書けたのです。

■体が弱い人は、家の中で練習や創作にうちこめるので、音楽向きともいえるのです。サン＝サーンスみたいに、20歳までは生きられないだろうと言われていて、長生きする人もいますから。あきらめないのが肝心ですよ。

第14回／2017年4月9日

♠ほかの教科との関係は？――なんと算数とも

学校の音楽の時間って、歌ったり、笛を吹いたりするだけで、好きな人はおもしろいと感じるけど、きらいな人はつまらないと感じるかもしれませんね。でも、ちょっと考えてみると、ほかの教科と関係があることがわかります。

たとえば国語。歌の曲には歌詞がありますから、音楽と国語は深いつながりがあります。言葉に音楽がつくと、どんな感じになるのか、しっかり聞いてください。

次に社会です。その曲がいつ作られたかを知る音楽史という学問は、昔のことを調べる歴史の一部です。国や民族のちがいを学ぶことは、地理を学ぶこと、そのものですね。理科で、笛を作ったり、糸電話の実験をしたりしたことはありますか。音がどうして出るのかを調べる音響学も理科の一分野です。算数は、楽典という音楽理論の勉強で関係があります。一番身近なのは、五線紙にたての線を引くとき。拍子をわかりやすくするために1小節ずつ区切る小節線を引きますが、1小節を何センチに分けるか計算するのに割り算を使います。作曲にコンピューターを使う人もいますよ。

体育は無関係にも思えますが、もっとも直接的な結びつきがあります。踊りのための曲はフォークダンスです。音楽を聞いて体の動きを工夫する「表現」にも使いますね。図工（美術）は音楽とともに芸術の分野です。音楽が「時間芸術」と呼ばれて、どんどん変化していくのにたいし、美術は「空間芸術」といって基本的には変化しないところが正反対です。楽器は工芸品といって、その形は美術的にも価値がありますし、19世紀後半にフランスで起こった印象主義は、同時代の絵と音楽がおたがいに結びついた例としてあげられます。外国語は外国の曲と、直接関係があります。とくに、英語はポピュラー音楽になくてはならない言葉なのです。そのほか、音楽を聞いてどう感じるかを話し合ったりすれば、道徳や宗教とも結びつきます。

このように、自分が得意なほかの科目との関係から、音楽の勉強を見直してみることができます。そして、そこに楽しさを感じてほしいと思います。

■算数ができない人は、おおむね機械にも弱いみたいで、Bはコンピューターにこわくてさわれません。感電するかもしれないからです。だからM君に1回百円ずつあげて操作してもらっています。いい友だちは持つべきです！

第15回／2017年4月16日

♣和音に耳をすませましょう！——いろいろな意味が

人間が音楽だと感じるのは、何よりもまず音の高低があるメロディー（旋律）からだといいます。それ以前に音の長さや強さなどによるリズムがありますが、これは単に物音として聞いてしまうでしょう。

はじめの西洋音楽といわれるグレゴリオ聖歌は、全員が一つのメロディーを歌います。それが次第に枝分かれし始め、別のパートが生まれた結果、いくつかの音が同時に響く和音（ハーモニー）が認識されるようになったのでした。

現在、私たちが聞く音楽の多くは、メロディーを背後から和音が支えています。しかし、日本では、江戸時代までの邦楽が、旋律に重きを置いていたため、まだ和音にたいする感覚がにぶいといわれています。また、オペラ歌手など、歌うことに命をかけている音楽家は、ほかのパートを少しも気にかけない人が多いようです。しかし、これは大変残念なことなのです。和音のつけ方によって、メロディーの気分はガラッと変わるのですから！

「あなたが好き」という歌詞を歌うとしましょう。もっとも簡単な和音は4種類ありますが、長三和音

（メジャー）をつけると、本当にそう思っている、という楽しく明るい感じになります。短三和音（マイナー）をつけると、昔のお姫さまが国のためにきらいな相手と結婚させられるような、悲しく暗い感じになります。増三和音（オーギュメント）だと、まだよくわからないが、そうなるかも……、といった予感がふくらむ感じになります。減三和音（ディミニッシュ）だと無理やりそう言わされているような、たとえば強盗か何かにおどされたみたいな気分になります。つまり、いろいろな感情の表現が可能なのです。和音は何もメロディーの伴奏をするだけではなく、合唱曲――とくに賛美歌――などはその移り変わりだけで、美しさを表現しています。

みなさんも歌うときは、伴奏にどんな和音が使われているか、合唱や合奏などで自分が受け持っているパートが、どんな意味を持っているのかを考えながら演奏してみてくださいね。

■有名な声楽家のCDを作るとき、どれがお気に召すかと思って、三とおりの和音をつけて編曲しました。でも「どこがちがうんですか」と言われてガッガリ……。大きくなってからわかろうとするのは、無理なことかもしれませんが。

第16回／2017年4月23日

♥バッハはなぜえらい？

――たしかにそう見える

星の数ほどいる音楽家の中で、だれが一番えらいと思うかと人にたずねると、だいたい決まって「バッハ（ヨハン・セバスティアン）」（1685〜1750年）という答えが返ってきます。後からつけられた呼び名は「音楽の父」ですから、そう思われてきたことはたしかです。ずっと後のベートーヴェンは、「バッハは（日本語に訳せば）小川という意味だが、小川というより大海だ」と言っているくらいです。

では、どのようにえらいのでしょうか。

まず、何の音から始まる曲でも、まんべんなく書けたということがあげられます。私たちが音楽の授業で習うハ長調（ドの音から始まる明るい感じの曲）や、イ短調（ラの音から始まる暗い感じの曲）などを決めたのは、なんとバッハだったのです。どの音から始まっても同じ音楽だと思う人もいるでしょうが、決してそんなことはありません。レの音から始まると、かがやかしい感じ、ミの音から始まると古めかしい感じがただようものです。ただ、これは色のようにはっきりしたちがいではなく、「言われてみればそんな感じがする」という程度ですが、音楽にはそうした微妙なちがいを聞き分ける楽しみがあるのです。

それから、キリスト教に使われる、神さまの前ではどのパートも同じ大切さを持つことを示す「フーガ」という曲を完成させたのもバッハです。バッハほどフーガをうまく書いた人はいませんし、それより後のモーツァルトたち古典派の作曲家は、それほどフーガに興味を示さなくなりました。ただ、バッハの曲は死後まもなく、古くさいと思われて、かえりみられなかった時期もあったのです。

バッハの肖像画は顔が大きく、目が小さいのが特徴ですが、本人とどのくらい似ているかを調べるために、頭がい骨に肉づけをしたところ、絵とほとんど同じだったそうです。もっとも、肖像画で最初に知っていたイメージが強すぎて、そうなったのかもしれませんが。

そして、父親として、二人の妻との間に20人もの子どもを作り、男子は全員作曲家に育てました。その就職先まで面倒をみたことはたたえられるでしょう。最後の子、クリスティアンは、モーツァルトの先生になりました。

■20人も子どもを養っていたなんて、大変だったことでしょう。バッハの曲は「インヴェンション」「平均律」などたくさんあって、音楽学校の試験曲にもってこいですが、それもわが子や弟子のための教育用として書いたからでした。

第17回／2017年4月30日

◆オルガンってピアノじゃないの？

——どっちが古いかな

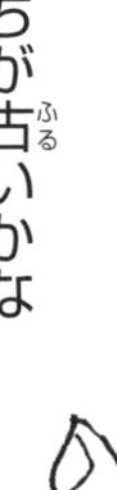

日曜日の朝、キリスト教の教会に行ってみましょう。そこでは、ほとんどの場合、オルガンが演奏されているはずです。

19世紀末までのヨーロッパでは、一般の人たちが簡単に音楽と接するためには、教会に行くほかはなかったのでした。どんな小さい村にも教会があり、そこにはかならずオルガンが備えつけられていました。専門のオルガン奏者はただ弾くだけでなく、作曲をしたり、人びとに音楽を教えたりしていました。バッハはその中で最大の存在でした。

オルガンというと、ボタンを押すと電源が入って音が出る電気オルガンや、その進化した形の、いろいろな音が出る電子オルガンを思い浮かべる人が多いと思います。その祖先はパイプオルガンで、「楽器の王さま」と呼ばれていました。その始まりは、紀元前3世紀のアレクサンドリア（古代マケドニアのアレクサンダー大王が設立した都市）といわれています。キリスト教が広まるうちに、教会の中で歌の伴奏をするために、1台ずつちがった性能を持ったオルガンが作られるようになりました。自分たちの町には、ほかの町とちがった、すばらしいオルガンがあるというのは、人びとの誇りだったのでしょう。

しかし、そのために演奏者は大変な苦労をします。楽器ごとに鍵盤の段数や数もちがうし、足で奏するペダルの数もちがっているからです（全くないこともありました）。また、出せる音色の種類もちがい、操作の方法もそれぞれに個性があるのです。オルガニストは初めて弾く場合、何日も教会に通って、新しく出合うオルガンに慣れなくてはなりません。ときには、助手に手伝ってもらうこともあります。

オルガンはピアノと同じ鍵盤を持っていますが、ピアノが内部の弦を打って音を出すのとはちがい、並んだ管の中に空気を通して音を出します。ですから、フルートやトランペットのような管楽器の仲間です。どの管を使うかは、「ストップ」と呼ばれる出っ張りを引き出すことによって決まります。そして、建物全体が鳴り響くのです。音楽に包みこまれる時間を味わいたければ、ぜひオルガンを体験することをおすすめします。

■このごろ、オルガンを弾く機会がふえつつあります。楽器の操作もひと苦労ですが、何より問題なのは、弾く場所が高いところにあって、高所恐怖のBには困るのです。とくに弾き終わっておじぎをするときにそう感じます。

第18回／2017年5月7日

♠便利なコンピューターのかげに……

――旧人類は困っています

みなさんはコンピューターが使えますか？　私はさわったこともありません。幼いころ祖母に「感電するから」と言われて、電化製品には関わらないようにしているのです。

しかし、気がつけば、字を書くのもパソコンが主流で、鉛筆や原稿用紙はあまり見かけなくなりました。計算も計算機がしてくれるし、料理も電子レンジがしてくれるという時代になってしまいました。

最後のとりでだった、個性を重んじるはずの芸術――美術や音楽――にも、その波は押し寄せています。

はじめはシンセサイザーによる演奏でした。人前で鍵盤を弾いたり、ボタンを押したりしているうちは、まだ良かったのです。そこには動作があり、演奏者の表情も見えますから。しかし今や、耳にする音楽の多くはコンピューターの操作で作り出す、実演をともなわない録音によるものです。音楽は演奏者同士が、そして聴衆が、おたがいにエネルギーを交換し合う一体感を味わうのが楽しみの一つです。それなのに、これではその喜びがありません。ただ、用途によってはBGMのように、主張しない音楽も必要ですから、存在する価値は十分にあります。何人もの演奏者を集める手間や支出もはぶけます。

そしてついに、作曲にもコンピューターが導入され、楽譜も機械で書くようになりました。音符を書けない作曲家も増えてきています。多くの人が作曲できるようになり、便利なこと、このうえありません。

しかし、一人の作曲家がメロディーや和音、楽曲のすべてを作り出すのが原則だったクラシック音楽では、ちょっと困ったことになったのです。これまで楽譜を書きつつ考えていた作業が、ボタン一つで済むのですから。

これまた便利で、どんな細かい音も書けますが、20世紀までの作曲とは断絶が生まれました。それまでは、人間の体力や感覚で表せる音楽しか生み出せなかったからです。

そしてすでに、コンピューターが使えない人間は「歴史的遺物」と祭りあげられています。あと30年ほどで、手書きの楽譜は消えてしまうでしょう。

■この件については、もうあきらめています。機械を使って字や楽譜を書かないと仕事をあげないよ、と言われたら、喜んでやめてしまうでしょう。あるいは、上手な人に頼んでやってもらうか……。実はそうしているのですが。

第19回／2017年5月14日

♥シューマンは別の世界へ
――それが新しい響きに

芸術家には変わった人が多い……とよくいわれます。確かに他人とちがった絵や曲を作り出すには、個性的な考え方が必要です。その条件からいえば、シューマン（1810〜56年）こそ真の作曲家でした。

彼ははじめ、ピアニストを志します。上達するためには、指をきたえなければならないと思い、器具を使って力ずくで指に負担をかけて練習し、その結果、ついに指の腱を切ってしまいました。すると今度は、自分はピアノの曲を書いて、奥さんに代わりに弾いてもらえばいいと考え、奥さん探しと作曲の勉強を始めました。自分の先生だったヴィークの娘、クララに求婚しますが、ヴィークに「法律大学に行ってマネージャーになる力をつけよ」と言われます。そこで、音楽の勉強を中断し、ドイツ・ライプツィヒの大学に入学しました。そして、結婚の許しを得ると、うれしさのあまり1年に140曲もの歌曲を書きあげました（歌の年と呼ばれます）。

シューマンは、集中してある分野の曲を作る傾向があり、交響曲の年、室内楽の年、オラトリオ（宗教音楽）の年、男声合唱の年と、毎年変化していきます。

そしてその曲はピアノ曲であっても、それまでの作曲家とちがって題を持っています。「アベッグ変奏曲」は女性の名前を、「蝶々」は仮面がチョウに見えることから舞踏会を、「謝肉祭」は春祭りの情景を、それぞれ音に置きかえたものです。「謝肉祭」には「スフィンクス」と題された、どう弾いたらいいかわからない曲も含まれています。「子供の情景」の中の「トロイメライ（夢）」は有名ですが、寝苦しい感じです。尊敬するベートーヴェンの記念碑のために書かれた「幻想曲」には、心の中で歌うための旋律が書かれています。

シューマンは見えないものが見え、聞こえないものが聞こえる人でした。当時としてはありえないような、となり同士の音をぶつけて書いたのは、彼の耳にはそう聞こえたからでしょう。

2回にわたるライン川への投身自殺未遂の後、自分から望んで入院し、天使が歌ってくれる曲を書き取ったのが最後でした。そのふしぎな作品が、行きづまっていたロマン派の音楽に光をあたえ、現代の音楽へと導いてくれたのです。

■少し前までは、シューマンの伝記や、後期の作品は出版されていませんでした。その理由がやっとわかったような気がします。でも作品は少し奇妙でおもしろく、弾けないほどむずかしい曲もありますが、大好きです！

第20回／2017年5月21日

♣曲はサンドイッチの形——まずはパンから

お寺の本堂には、一番尊い「本尊」と呼ばれる仏像が中央にあります。その両側に「脇侍」という、それを助ける役目の仏像が立っています。西洋の宗教画も「三枚絵」といって、まん中にキリストがいて、その左右に聖者がいることが多いです。建物もそうで、お城も王さまの住む部屋の両側に廊下があります。国会議事堂も同じつくりですね。

美術以外に、物語や音楽も三つに分かれているのが基本。そして、最初の部分がまたもどってくるという作られ方が、西洋にはとても多いのです。これを三部形式といい、「ABA」、つまりサンドイッチの形をしているわけです。

人間は変化と安定を求めます。旅行に出かけたとき、とてもうれしいですが、帰宅するとホッとしますよね。音楽の場合、ある曲想にあきると、別の曲想がほしくなり、ここが山場となります。しかし、また安定させようとして、最初の雰囲気にもどるのです。作曲家も新しい部分を書くのは楽しいものですが、大変な作業で、前と同じことを書くのは簡単です。演奏家も変化した部分は自分の別の技術を見せること

ができますが、同じ部分があれば覚えやすいですね。

メヌエットやワルツなどの舞曲も同じで、始めと終わりが同じだからこそ、多くの人たちが踊りに参加できるのです。見たり聞いたりしているお客さんも、最初の部分を覚えておけば、「あと3分の1で終わるな」などと、気持ちを新たにすることができますね。三部形式よりもっと短い二部形式の曲でも、この変化と安定の原理は守られています。フォスター作曲「スワニー河（故郷の人々）」がその例です。たった16小節の後半は新しいメロディーが始まりますが、終わり4小節は最初のメロディーが思い出されます。

このように安定感がある三部形式ですが、最後の部分であきられないように、少し変えたり、長くしたりして、そこに山場を作ることもあります。ベートーヴェンが得意とした作曲方法ですが、やりすぎると三部の形をこわしてしまうので注意が必要です。

■……とはいっても、サンドイッチを「パン→中身→パン」の順に分けて食べる人はあまりいないでしょう。音楽の場合は時間芸術ですから、そのように味わいます。ですからパンも上等でおいしくなくてはなりません。

第21回／2017年5月28日

◆オーケストラは豪華な響き——でも土間だけど

吹奏楽が、聞く人の気分をうきうきさせるような華やかな響きだとすれば、その兄貴分のようなオーケストラ（管弦楽）はもっと豪華で、大人の世界に入りこんだような気持ちになることでしょう。これは木管、金管楽器という管楽器と打楽器の組み合わせに、大勢の弦楽器が加わったからです。弦楽器は強弱の幅が広く、息を吸う必要がありません。ですから、長い旋律を演奏でき、安定した響きを作りあげられます。

しかし、演奏はむずかしく、手にしてすぐに音が出せるような管楽器や打楽器とはちがって、幼いころから毎日のたゆまぬけいこが必要です。何しろ、1ミリの何分の1かのちがいで、音の高さを決めるのですから、もはや勘にたよる技術ですね。小学校に吹奏楽部はあっても管弦楽部が少ないのは、そのせいだと思われます。

いつごろからオーケストラが始まったのかはわかっています。1600年にイタリアのフィレンツェで、オペラという歌入り芝居が作られたとき、その伴奏をするためでした。当時は発掘がさかんで、古代ローマ時代の劇場跡が見つかったのです。その舞台の下、現在ではホールの1階にあたるところが、地面がむき出しになっていたので、平土間（オルケスタ）と呼び、そこに入って演奏する楽団をオーケストラと名づけたのです。ですから、みなさんの家の玄関に土間があったら、「うちにはオーケストラがあるんだ」と自慢していいですよ。

オーケストラの編成は、各楽器が四つずつの組み合わせになっています。これは成人の声の高さに対応しています。高いほうからソプラノ、アルト、テノール、バスです。各楽器は次のようになっています。弦はヴァイオリン1・2、ヴィオラ、チェロとコントラバスです。木管はフルート、オーボエ、クラリネット、ファゴット。金管はトランペット、ホルン、テノールとバスのトロンボーンです。そのほかの楽器と打楽器は必要に応じて加わります。

大勢の人たちが指揮者のもと、みなさんのためだけに演奏しているのです。王さまになったつもりで、少し気取って聞いてくださいね。

■とてもふしぎな演奏形態です。1対1だったら絶対に合わないような組み合わせ（弦楽器と打楽器とか）も、全員でうまく演奏すれば見事な音響に……。合わせ方のコツがあるようですが、指揮者Bにはいつもなぞです。

第22回／2017年6月4日

♥ブラームスはきまじめ（すぎるかも）

——地味だけどいい人

音楽家、中でもとりわけ作曲家は、自分勝手な人が多いという話が残っています。約束の時刻を守らないとか、借りたお金を返さないとか。

しかし、ブラームス（1833～97年）だけは、一度決めた約束はどんなことがあってもやりとげる人でした。何しろ援助すると決めた相手に、40年以上もお金をおくり続けたのですから。その相手とは、先輩にあたる作曲家シューマンの奥さんになった、14歳年上のクララでした。

貧しい家に生まれたブラームスは、ベートーヴェンを尊敬しながらも、ほとんど独学で作曲の勉強を始めましたが、なかなかデビューできませんでした。そこで、有名な作曲家シューマンに、作品を見せに行ったのです。実はブラームスは以前からクララのピアノ演奏を聞いてファンになっていたので、はじめは彼女に会いに行くのが目的だったのかもしれません。しかし、シューマンはそれとは気づかず、ブラームスの才能を認め、自分が執筆していた『新音楽時報』という雑誌に大きく取りあげてくれたのです。

残念なことに、その後すぐにシューマンは病院に入り、退院することはありませんでした。ブラームスは、クララに援助を申し出ました。お金もおくりましたが、夫妻の子どもたちが楽しめるようにドイツ民謡を編曲しています。そして、シューマンが世を去っても、二人の間はそのままだったのです。

作曲家としての彼は、とても潔癖でした。19歳までの作曲は幼稚なものだと考え、すべて捨ててしまっています。また、自分はベートーヴェンと同じ、古典派の作曲家だと主張し、交響曲や協奏曲といった大規模でまじめな曲を残しました。時代はすでに日本の明治時代に入っていて、琴の演奏も聞いていますが、自分の作品に取りこむことはしませんでした。

エジソンの依頼により、ピアニストとして世界初の録音も残していますが、それを客観的に聞いてからは、演奏を断念してしまったのです。

愛していたクララが世を去ってほぼ1年、ブラームスも後を追うように生涯を閉じました。

■こういう関係を、プラトニックラブといいます（Bにもそういう相手はいますよ）。究極的な愛の形ですが、ときには冒険してもいいのかも。そういうところがブラームス作品の長所でもあり、欠点でもあると思います。

第23回／2017年6月11日

♥オペラを見に来てね！
——劇場で会いましょう

歌いながらお芝居をすることをオペラ（歌劇）と呼びます。オペレッタやミュージカルと同じですが、一番古くからあるのがオペラです。1600年にイタリアのフィレンツェで始まりました。しかし、どこの国にも昔からこうした劇はあります。中国には京劇があり、まさに中国オペラと呼ばれています。インドネシアのバリ島にはケチャという集団での舞踊劇があり、また日本では室町時代から能がさかんに上演されています。

ただ、ことオペラに関しては分が悪く、音楽好きな人も「オペラだけは……」と敬遠することが多いのです。なぜかというと、言葉がわからないということにつきるでしょう。音楽家の中でも、とりわけ歌い手たちは「書かれた国の言葉で歌うのが一番自然で歌いやすい」と反論します。きっとそのとおりなのでしょうが、日本語しかわからない場合は困りますね。

そんなとき、味方になってくれるのは「訳詞上演」という方法で、上演する国の言葉に直して歌うのです。日本でも20世紀のうちは、ほぼこのやり方でした。今でも、地域に根ざした公演やオペレッタなどせ

りふの多い作品では、この方法がとられています。とくに小さい人向きの「ヘンゼルとグレーテル」や「魔笛」などは、そうです。ですから、こうした公演を見に行けばいいのです。魔女が出てきたり、魔法が使われたりと、ふつうでは体験できない出来事がたくさん起こります。舞台は夢の世界なのです！

それから、できる限り前のほうの席で、出演者の表情が見えるところで見ることも大切です。知り合いが出ていたりすると親近感も増しますね。一番いいのは、けいこを見学することです。指揮者や演出家にしかられて、泣いちゃう人もいたりして、いろいろな場面に立ち会うことができます。もっとオペラを楽しむには、自分も参加することです。「カルメン」「夕鶴」には子どもの合唱もあります。地元の合唱団に入っていたり、応募したりすれば、出られることもありますよ。

大勢の芸術家たちが協力して作りあげる、総合芸術と呼ばれるオペラを、あなたもぜひ見に来てください。

■けいこでは、うまく演技ができなくて演出家から怒られて泣いちゃったり、偉い（と思っている）歌い手がヘソを曲げて帰ろうとするのを、みんなで引き留めたり、というような事件が毎回起こるので楽しいです。

第24回／2017年6月18日

♥バレエってはずかしいですか!?
——私はちょっと……

バレエの公演を見に来る男の人は、すごく少ないです。バレエを習っている男の子はもっと少ないです。小学生向きの音楽会で、バレエの曲を演奏した後に、バレエを習っているかどうかをたずねると、女の子はかなりの数が手をあげます。しかし、男の子は一人もいません。でも、オペラやバレエのように登場人物が多い舞台には、ほぼ男女同数の出演者が必要なのです。

16世紀のはじめに、カトリーヌ・ド・メディチが結婚のためイタリアからフランスにおもむいた際、何人かの踊り手を連れて行ったときから、バレエはフランス独自の発展をとげました。とくに王一族が踊りを好んだことも手伝って、王立（後に国立）のバレエ学校ができました。

パリのオペラ座では、オペラとバレエの公演が交互に開かれ、オペラの中にもかならず踊りだけの場面が作られるようになったほどです。モーツァルトもパリではその習慣に従いましたし、ワーグナーのオペラでは、バレエを見られなかったお客が大さわぎして事件になりました。

ただ、フランスのバレエは、優雅でしたが、力強さに欠け、作曲家は踊りよりも控え目な音楽を書くことを求められました。ドリーブ作曲の「コッペリア」という人形が魂を得て動き出す話は、この代表作です。そして、19世紀半ばには、フランスの文化がロシアに入り、バレエはここで新しく開花したのです。それは、チャイコフスキーのおかげでした。「白鳥の湖」「眠れる森の美女」「くるみ割り人形」の三大バレエはどれも音楽が充実し、ときにやさしく、ときにはげしく、踊る人と見る人の心をゆさぶります。彼は、交響曲の作曲法をバレエに持ちこんだのでした。ですから、これ以降のバレエは十分に男性向きでもあるのです。

王子や王女、悪魔になってみたい人は、ぜひバレエを習うことをおすすめします。体操やスケートと同じですよ。仮に踊れなくても、演技だけの役もあります。男の人は何しろ数が少ないので、歓迎されるでしょう。まずは、みんなで見に行ってみましょう。

■はずかしいと思うのは、衣装のせいではないでしょうか。体の線がはっきり出ますから。でもその場合は、年上の役（王さまとか）をやれば問題ないと思います。見に行くのがはずかしい人は、ぜひ友だちを誘って。

第25回／2017年6月25日

♥シューベルトはおどおど……

——くさったものは食べないで

「野ばら」という歌を歌ったことがありますか。このゲーテの詩につけられた曲は160曲以上にのぼりますが、一番有名なのはシューベルト（1797〜1828年）の曲でしょう。たった14小節しかないのに、かわいい花にたいする少年の気持ちが、見事に描きつくされています。

シューベルトは「歌曲王」という名前をもらっています。600曲もある歌の曲はどれも「野ばら」と同じようにすばらしく、どんな人にも歌えるので、世界中の言葉に翻訳されて広まっています。

しかし、彼は決してそれだけの作曲家ではなく、交響曲やオペラをふくめ、ありとあらゆる分野の曲を残しています。肖像画はおじさん風なので長生きしたように思われがちですが、31歳で死んでいます。モーツァルトも早死にでしたが、35歳でした。しかも、モーツァルトは4歳から作曲を始めているのにたいし、シューベルトは10歳ごろからです。それなのに、作品が1000曲を優にこえるというのは、その勤勉さがわかろうというものです。

ただ、残念なことにシューベルトの生涯は、物語になるような出来事が何一つありません。

貧しい家に生まれ、控え目な性格でしたが、良い友だちにめぐまれました。毎週彼らの集まりのために作曲し、そのために小さい編成の室内楽やピアノ連弾曲、歌曲がすぐれています。ベートーヴェンを尊敬していて、近所に住んでいましたが、ものおじして会いに行けませんでした。恋愛もほとんどしていません。一説によれば、ベートーヴェンが亡くなる寸前、意を決して歌曲を見せに行き、そこで「歌曲王」という名前をおくられたといわれています。しかし、その半年後、くさった魚を食べて中毒になり、死んでしまいます。みなさんも食べ物には気をつけてくださいね。

音楽の歴史のうえでは、ベートーヴェンの死によって古典派の時代が終わり、その後からロマン主義の時代（ロマン派）が始まります。シューベルトはそのはじめの作曲家になったのです。「ロマン」とは物語の意味ですから、歌曲王にはぴったりの位置づけです。

■この作曲家のことを書いた本を出そうとしたとき、「売れませんよ」と言われたことがあります。曲集、とくに歌曲集だとそんなことはないはずですが。もしも60歳まで生きていたら、とか考えてみても、結局は同じだったかも。

第26回／2017年7月2日

◆変声はヘンシン！——女の人にもあるみたい

人間は子どものころと大人になってからとでは、顔つきや体の大きさが変わります。もっとも劇的に変化するのは中学生のころで、男女のちがいがはっきりします。とくに男性はひげがはえたり、声が低くなったりします。この文を読んでいる人たちの中でも、上級生はもしかしたら、そろそろそのようになっているかもしれませんね。生活のちがいで、この変化はどんどん早くなってきているようです。

変声（声変わり）は、のどにある、声を作る器官である声帯が、体の成長とともに変化することによって起こります。男女ともにみられますが、女性は高さがあまり変わらず、上下に少しのびる程度です。それまでソプラノとアルトだけだったのが、メゾソプラノという中間の声の種類も現れて、力強い成人の声になります。これに比べて男性は、なんと1オクターブも低くなります。同じピアノでは中央の「ド」なのに、それまで低く感じられた「ド」が、高い「ド」に感じられるようになってしまうのですから、おどろきです。人によっては一晩のうちにそうなることもあります。朝起きたらとつぜん、おじさんのような

声に変わっていてお母さんがびっくりした……という話を聞いたことがあります。

子ども時代の発声は、頭に響かせる頭声発声です。女性の場合は変声後もそのままですが、男性はこれが胸に響かせる胸声発声に変わります。そのために高い声を出すには、その後の訓練が必要になります。

ただ、最近では、生活習慣のせいで、変声以降の女性も胸声で話すことが多くなり、逆に男性も頭声のままですごす人も、みられるようになりました。これまでは成人男性の声は低めのバスとバリトンが多かったのに、高いテノールがふえてきています。テレビタレントやミュージカル俳優の影響もあるのではないかと考えられます。

変声の期間は、男性は出せる範囲の音だけを歌いましょう。歌以外の音楽に目を向けるのもいいですね。そして、自分がどんな声になるのか、期待しつつ待つことにしましょう。

■児童合唱団に入っている男子は、変声すると退団しますが、裏声（ファルセット）で歌って参加しているうちに、高い声がそのまま残る人もいます。カウンターテナーと呼ばれ、けっこう貴重な存在です。

第27回／2017年7月9日

♥ケージはびっくりさせるのが好き！

――でも1回目が一番ビックリ

20世紀の芸術家は、それまでの人たちとはちがった新しい方法で作品を作ろうとしました。そのためにずいぶん変わった美術や音楽作品が生まれました。中でも一番衝撃的だったのは、アメリカ人のケージ（1912〜92年）です。彼の名前がいっぺんに知られるようになったのは、「4分33秒」という作品からです。これはピアニストがピアノの前に、題名どおりの時間だけ座っていればよいという曲です。楽譜がどうなっているのかというと、音のない時間を示す休符がただ書いてあるだけなのです。初演は大変な批判をあびました。しかし、音楽には音を出していない時間もあります。音符だけではなく、休符も大切だということを示したかったのでしょう。その間に聞こえてくる物音のすべてが音楽体験なのです。あるいは「18回目の春を迎えたすばらしい未亡人」という曲では、歌い手はふつうに歌っていますが、ピアニストはふたを閉めて、ピアノのさまざまな場所を決められたリズムでたたくだけです。ピアノは打楽器の一種だからです。

このように、ケージは1作ごとにおどろくべき考え方の曲を発表しましたが、彼の作曲法は次の三つにまとめることができるでしょう。

まず、楽器の特殊な使い方の開発――とくに重要なのはピアノの内部に消しゴムやボルト、紙などを入れて音を変える「プリペアド・ピアノ」です。次に図形楽譜――音符ではなく、絵を描いて、そのイメージで演奏します。そして、パフォーマンス――舞台での演技までも音楽としてとらえるという方法です。後の二つは演奏するたびにちがう結果が出るので、「偶然性の音楽」と呼ばれます。しかし、昔の曲だって演奏するたびに長さや強弱はちがいますね。また、ポピュラー音楽にとっての楽譜は覚え書きにしかすぎないのです。そして演奏会では、お客さんは舞台を見ることも楽しんでいるわけです。

このことを再認識させてくれたケージに、私たちは敬意を払うべきでしょう。でも一番ありがたいのは、作曲とは、実は簡単で、楽譜を書けなくてもいいのだと教えてくれたことです。

■曲がむずかしくなり、電子音楽に至ってしまったヨーロッパに比べ、アメリカは人間的であろうとする方向に走りました。でも偶然性の音楽は、初演に立ち会うのが一番スリリングで楽しい気がします。

第28回／2017年7月16日

♠どんな曲にも作者がいるのですよ

——絵や小説と同じ

私たちが歌ったり、演奏したりしている曲は、昔から伝わっている民謡をのぞいては、どれも作者がいます。音楽だけではなく、文章や絵などの芸術作品は、どれも作った人の意思がこめられているので、大切にしなければならないのはいうまでもありません。その作者たちは、創作することによって収入を得ているのですが、常に作り続けることは大変なことです。発想が出ない日もありますし、健康状態にも左右されます。作ったときだけお金をもらうのでは、生活が成り立ちません。

そうした状況から作者を救うために、著作権法が定められています。ある作品を演奏したり、使ったりするたびに、作者にお金が支払われるシステムを決めた法律です。作者の死後、一定の期間はそれが保障されていて、現在では日本が50年間、アメリカやヨーロッパ諸国が70年間となっています。(2018年に日本も70年になりました)。仮に、ブルー・アイランドさんが今日死んだとしましょう。すると、彼の遺族たちはその作品が演奏されるたびに、決まった額のお金を受け取ることができます。年を取った作家と結婚すれば、安定した老後をすごせるというわけですね。

では、そのお金は、だれがどのように払うのかというと、演奏した人が払うのです。音楽会を主催した人が払う場合もあります。学校の授業で練習するのにはお金はかかりませんが、校外で発表したら、お金を払わなくてはなりません。その曲の長さ、お客さんから入場料をいただくのかどうかによっても、その額は変わってきます。

未成年のうちは、お金のことはあまり気にしなくていいのですが、まずは、口ずさんだり、読み流したりしている曲や漫画に、作者がいるのだということを考えてもらいたいのです。そのうえで、その人の名前を知ること、また、いつごろ生きていたのかを調べることが大切です。芸術作品を作り出すことは、真剣な職業なのだということも、理解していただきたいものです。

それにしても、モーツァルトやシューベルトの時代に著作権法があれば、あんなに無理をしなくてもよかったのに……と、今さらのように思いますね。

■おもしろいことに、作者に興味を持つ子どもは将来、創作活動に携わるようです。Bは、曲はまだしも、少女漫画については、目の描き方だけで、だれの、いつごろの作品か言うことができます。何の役にも立ちませんが。

第29回／2017年7月23日

◆パーカッションは何でも屋さん

――おもちゃ屋さんみたい

オーケストラで演奏する人たちは、ヴァイオリンはヴァイオリン、トランペットはトランペット……というように、決まった楽器しか演奏しませんが、パーカッション（打楽器）の人は、さまざまな楽器を受け持ちます。打ったり、振ったり、けったりして音が出る楽器だけではありません。バーンスタインの「ウエストサイド物語」では、警笛を吹くのです。ルロイ・アンダーソンは、タイプライター（文字盤を打って印刷する機械）や紙やすりの音を楽譜に書きこんでいます。「踊る子猫」という曲の最後では犬のほえ声まで出さなくてはなりません。つまり、ふつうの楽器では出せない、音のすべてをまかされているのです。

打楽器で一番重要なのは、ティンパニです。300年ほど前から、かならずといっていいほどオーケストラに入っていました。現在でも、首席といって、一番実力のある演奏者がたたくことになっています。曲のもっとも大切な部分に、たいがい使われるからです。

しかし、打楽器の勉強のはじめは、小太鼓からと決まっています。持ち運びがしやすいし、細かいリズムの練習にぴったりなのです。ときには、木琴（マリンバ、シロホン）のような鍵盤楽器から習い始める

人もいます。以前、練習を見に行ったことがありますが、そこには自己表現といって、置いてある楽器を自由に使って即興演奏をしていました。また、リズムを口で言う練習、それも「タンタ」ではなく、「ティヤッター」とか「ダラスター」とか、感じたままを発音するので、はずかしくてまっ赤になる人もいましたっけ。

一見簡単そうに思える打楽器ですが、実は奥が深いのです。何を使ってたたくのか——棒か、ばちか、手か——。「トライアングル」と書いてあっても、楽器の大きさはどのくらいか、打ってすぐに響きを止めるのかそのままか。長い音符は1発だけ打つのか、鳴らし続けるのか。考えることはたくさんあります。何種類も使う場合は、その並べ方も工夫します。しかし、何よりも大変なのは、その楽器を用意することでしょう。鉄道のレールとか、トタン板とか、牛の頭の骨（キハダという楽器）などというのもあるんですから！

■そのキハダを、おもしろい形をしているので買ったところ、虫がわいてきて結局は捨てました。ブータンでは、人間の頭がい骨（の一部）で作った打楽器を売っていましたが、M君に止められてやめました。

第30回／2017年7月30日

♣ソナタもサンドイッチのかっこう

――ベートーヴェンがやりすぎました

ピアノを習っている人は、ソナチネを弾いたかもしれません。もしかすると、もうソナタに進んでいるかも。これは何のことかというと、曲の名前です。もう少しくわしくいうと、曲の種類や作られ方を示している題です。日本語でいうと、「鳴り響く」という意味ですから、４００年ほど前は器楽の曲全般を指していました。しかし、ハイドンのころ（２５０年ほど前）から独奏曲につけられるようになり、そのはじめの楽章が一定の法則で作られたのです。これを「ソナタ形式」といいます。

ちょうどこの時期は、王さまや貴族たちが音楽をたしなむようになってきて、それこそ毎週のように作曲家たちは曲を生み出す必要がありました。何の決まりもないところから作り出すのは大変です。ですから、ある一つの型を作って、それに従って書けば完成するように考えたのですね。そういうわけで、ハイドンは「ソナタ形式の父」とも呼ばれています。

その作り方を特別に公開しましょう。三部形式で作られ、はじめと終わりはほぼ同じです。

はじめの部分を「提示部」と呼び、二つの主題（重要な音楽）が現れます。以前は男性と女性になぞらえていましたが、今はジェンダーの問題からそうは呼びません。雰囲気のちがった二つの主題と考えてください。次に「展開部」といって、主題が変化して盛りあがる部分がきます。ここが全曲の山場となります。演奏もむずかしい部分で、コンクールなどは、ここまでで切られることもあります。そして、最初の音楽にもどり、「再現部」が始まります。しかし、これではお客さんがあきてしまうので、ベートーヴェンはここに「終末展開部」という第二の山場を作りました。でも、そのために終わりが長くなって、三部形式の形がこわれてしまったのです。そして、次のロマン主義の時代には、あまり書かれなくなってしまいました。

しかし、ソナタは、ある時期の西洋音楽を代表する作品です。ソナチネ（小さいソナタ）でも、十分にその立派さは味わうことができますよ。

■再現部は、今ならコピーして貼って済ませるところですが、昔はちゃんと書いていたその苦労は認めるべきでしょう（その後半は調が変わりますが）。もっとも、助手にまかせてしまった作曲家もいたかも……。

第31回／2017年8月6日

♥ハイドンさんはアイデアマン ——習いたかったな

アンゲラーという、全く無名な作曲家の残した弦楽合奏曲があります。はっきりいってつまらない作品なのですが、これに音の出るおもちゃを加えて「おもちゃの交響曲」という、小学生も参加できる楽しい曲に変えてしまった人がいます。この人こそ、「パパ」としたわれるハイドン（1732～1809年）です。

勤めていたハンガリーのエステルハージ侯爵家では、演奏中に眠ってしまったお客さんを起こそうと、静かな曲の中にとつぜん大きな音を出したこともあります（交響曲「驚愕」）。侯爵にオーケストラ団員が休暇をもらいたがっているのに気づいてもらおうと、演奏者が順番に礼をして帰っていく曲（交響曲「告別」）を書いたこともあります。当時の音楽家の地位は低く、言葉や態度でやとい主に注意をうながすと、クビになることもあったからです。

そんなハイドンさんの奥さん、マリアは、全く音楽に興味のない人でした。何しろ夫が書いた楽譜でケーキの種を包み、次々と焼いてしまったのです。しかし、それでも残された曲は1千を優にこえるのですから、その多作ぶりがわかるでしょう。交響曲は番号がつけられているものだけでも104曲あります。ちなみにモーツァルトは41曲、ベートーヴェンは9曲です。弦楽四重奏曲は83曲あります。

古典派の作曲家はすべての分野に作品を残そうとしていますが、それが完璧だったのはハイドンのみです。それこそ勤勉にアイデアに富んだ曲を書き続けました。それも個人的な感情や健康状態に流されずに、常に第一級の作品を生み出しているのです。

他人のことをほめないということで有名なモーツァルトも、ハイドンには最大の敬意を払いました。モーツァルトに習えなかったベートーヴェンは、ハイドンに教えを受けました。

しかし、あまり良い先生ではなかったようで、ベートーヴェンはおこってやめてしまいます。実はこのときハイドンは60歳をこえていたので、学校の先生の定年と同じ年齢だったんですね。私も気をつけなくては。というのも、私はハイドンと同じ誕生日だからです。みなさんも自分と同じ誕生日の作曲家を探してみましょう。

■この方に作曲を習いたかったと思っています。Bがついた先生は、音楽家としての力は認めるとしても、あまりにも個性が強くて、えこひいきが激しかったのです。でもハイドンは、教え方は下手だったみたいですね。

第32回／2017年8月13日

♠使ってはいけない言葉――オンチさんという名字も

「音痴」という言葉をご存じですか。今でこそあまり言わなくなりましたが、以前は音がよくわからない人、とくに調子はずれに歌う人のことをそう呼んでいたものです。言葉だけを聞くと、とてもかわいい感じがしますが、失礼な言葉ですから、決して使ってはいけませんよ。音楽の分野以外でも、特定のことについて知識や理解が不十分であることを意味します。「方向音痴」「機械音痴」などと、使われていました。

しかし、音痴は病気でも何でもありません。音をよく聞いて、自分の頭の中でその高さを思い描いて声を出せば、正しい高さで歌えるものです。ただし、そのときにほかのことを考えていたり、体に力を入れていたりしてはいけません。音がよく聞こえませんし、ちがう高さの音が出たりします。

それを直すためには、静かなところで、できれば音が長くのびる楽器（オルガンや弦楽器）の音を聞くのが良いでしょう。やわらかなクッションなどに体をもたせかけて、その音と一体になる気持ちで、そっと出すとうまくいきます。目と口を閉じて、鼻から音を出すハミングで歌うと、成功するはずです。

声が出しにくい人は、音域がせまい場合が多いので、以上の方法で練習し、ピタリと合った音から少し

ずつ上下に広げていきます。そのためには、先生や友だちに手伝いをたのんでみてください。そして、高い音は頭を、低い音は胸を鳴らすつもりで、決して大きな声を出さないことです。

でも、とくにこんな練習をしなくても、別にかまわないのです。歌は個性ですから、歌詞を読むだけだって成立します。歌は決してうまくない俳優さんでも、その歌にはその人なりの味がありますよね。それを目指せばいいのです。

それに、歌なんか歌えなくたって、楽器があります。そもそも音楽は趣味の領域ですから、大人になったらやらなくたって全くかまわないのです。

歌が好きで、歌いたいのに、どうしても音がちがってしまう人は、そうした個性を生かす地域の音楽が、地球上のどこかにあります。その専門家になるのはどうでしょうか。

■恩地さんという同級生が、音楽の時間にいつも笑われていました。また藪さんという医院の前を通るたびに、気の毒に思います、でもこれは日本の中だけのことで、外国に行ってしまえば、どうということもないはずですね。

第33回／2017年8月20日

♣ソルフェージュなんて知らないよ

――フランス語です

江戸時代の一般の人たちにとって、たった一つの教育機関は寺子屋でした。子どもたちは寺子屋で「読み、書き、そろばん」を習いました。この三つは、立派な大人になるための、必要最低限の条件でした。音楽家になるための条件の一つとして、楽譜を読んだり、書いたり、調べたりできる力を持つことがあげられます。その力をつけるための学問を「ソルフェージュ」と呼びます。

見たばかりの楽譜をリズムどおりに、しっかりとした音の高さで、正しく歌えること（視唱）。聞こえた音を楽譜に書けること（聴音）。書かれている音楽上の言葉や使われている和音などを理解すること（理論）。この三つをこなしたうえで初めて、自分が専門とする楽器や歌などに向かうのです。

これは小さいころから続けて行われなければなりません。そのため、小学校や音楽教室の先生は、歌やピアノを教えるのと同時に、ソルフェージュも教えなくてはならないのですが、日本ではまだまだなおざりにされているようです。しかも、学校の音楽の授業時間はどんどんけずられているので、歌ははじめから歌詞を見て歌う、楽器は指使いだけを覚えて演奏するという、ある意味で考えの浅い方法が取られるようになっています。

もちろん音楽は「情」の教科ですから、心に感じたままを表現できればそれで良いのでしょう。しかし、一人ひとりの感性にちがいがあり、持っている情報も限られています。国語でも作者の意図を考えますよね。算数でも「問題の意味をよく理解して」と言われるでしょう。音楽にもその態度は不可欠で、それが「情」に流されない「知」的なよりどころになるのです。

でも、そんなことはだれも教えてくれないという場合もありますね。そのときは、楽譜に「ド、レ、ミ……」と仮名をふって読んだり、一本指でもいいから鍵盤楽器を弾いてみたり、音楽の教科書に書いてある文をよく読んだりするだけでもいいのです。

言葉が通じない外国の人と、ドレミでいっしょに歌えるということは、なんと楽しいことでしょうか！

■Bは東京芸術大学というところで、40年間ソルフェージュを教えています。この学問のむなしいところは、それが音楽の最終の姿ではないことなのです。でも、育児や教育などの行為と同じなのだと、自分をなぐさめています。

第34回／2017年8月27日

♥1曲だけしか書かなかったの？
――それでも残るだけいい

たった1曲だけで名前が残っている作曲家がいます。それも中途半端ではなく、とても有名なのです。運動会の徒競走に使われる「クシコスの郵便馬車」を作ったネッケ、ピアノの発表会やオルゴールでよく聞く「乙女の祈り」の作者、女性のバダゼフスカ、ヴァイオリニストであるモンティが作った「チャルダーシュ」などが、まずあげられます。

彼らはその1曲しか書かなかったのかというと、決してそんなことはありません。バダゼフスカの「マズルカ」という曲を、ドイツの古楽譜屋で見つけたことがあります。

楽譜を書く力は、専門的な修行によって身につきます。ですから、完成度の高い作品があるということは、かならずそのほかにも作曲しているはずです。さまざまな条件によって、楽譜が残らなかったのでしょう。

ただ、近親者の証言によると、本当に1曲しか作曲しなかった人がいます。中田章です。書いたのは、1912年の作品「早春賦」。今も愛唱されていますが、ほかには校歌を作っただけだといいます。「早春賦」は、実はモーツァルトの「春への憧れ」によく似ています。そのことや、彼の本職はむしろオルガニストだったことを考えると、1曲なのは、事実だろうと思います。代わりに子息の中田喜直が何百曲も書いているので、一家としての総数は多いです。また、「ウィーンわが夢の街」で世界的に有名なジーチンスキーは、この曲に「作品番号1」と記しているのに、それに続く曲が見あたりません。ピアノ部も完璧な書き方で、相当手慣れた作曲家と思われます。ただ、ウィーン市長でもあった人で、市長職がいそがしすぎて、後が続かなかったのでしょうか。いじわるな見方をすれば、口ずさんだ旋律をだれかに書き取ってもらった、ということも考えられるのですが、確かに名曲なのです。

あなたもそうした作品を1曲書いてみませんか。有名になるのは何百年後かもしれないけれど、楽しみではありますね。

■曲が後世に残る条件の一つに、出版があります。音が人びとの記憶から消えてしまっても、その楽譜が残っていれば再現できるのですから、ここにあげた作曲家は、楽譜によって広まった時期があったおかげで、名が残ったのです。

第35回／2017年9月3日

♥邦楽器は異文化体験——「味」があります

江戸時代以前からわが国にあった楽器を邦楽器（和楽器）といいます。箏（琴）、三味線、尺八がその代表的な楽器です。

日本は長く鎖国を続けていましたから、その間に独自の文化が発達し、一つの楽器にもさまざまな流派が生まれました。今はそんなこともなくなりましたが、かつてはちがう流派の人とは口もきかなかったといいます。礼儀作法にもきびしく、先生の言うことは絶対でした。せまい世界の中で秩序を守るためには、必要な態度だったのでしょう。

先にあげた三つの楽器のうち、もっとも広く行きわたっていたのは箏です。箏は13本の弦を持っていて、そのため「十三弦」とも呼ばれます。琴柱という駒によって、あらかじめ音の高さを決め、右手の指にはめた爪で弦をはじいて音を出します。左手で音の高さを変えることもできます。女性の趣味として、前の東京オリンピックが開かれた1964年ごろまでは、多くの家庭に置かれていました。それが、ピアノや電子オルガンに取ってかわられてしまったのです。逆に尺八は男性向きで、もとはお坊さんが演奏し、ど

ちらかというと年配の人たちが一人で楽しむために広まりました。三味線は歌舞伎を代表とする芸能の分野に不可欠の楽器です。一般には下町を中心に流行し、箏の優雅さと対照的な、いきな生活感のある音楽を受け持ちました。

邦楽器の特徴は何よりも、西洋の楽器が切り捨てようとした雑音を「味」として残したことにあります。尺八に吹きこむ息の音や、三味線をばちでたたいたときの刺激的な音に、それが感じられます。20世紀後半には、外国の作曲家も目を向けて、新しい音響として取り入れるようになったほどです。

現在、小、中学校では邦楽器に親しむ機会をもうけています。時、すでに遅しという感じはありますが。箏や三味線には、弦を押す目印のフレットがつけられたり、音を出しにくい尺八にはリコーダーのような歌口もついています。たまには和服を着て、まずさわってみてくださいね！

■M君の母上の話だと、家に箏があったというのです。うらやましい……。でもその息子は邦楽をやっていないのですから、関係ないのかも。ちなみにBの家にはありませんでしたが、邦楽器の曲は書きました。不得意ですけど。

第36回／2017年9月10日

♥バロックがゆがんだ音楽とは！
——作曲家はみんなかつらを

日本では関ケ原の戦いがあった1600年、西洋音楽の世界では、バロック時代が幕を開けました。イタリアのフィレンツェで、それこそ最初のオペラの幕が上がったのです。

これによって、それまで教会の中だけで演奏されていた音楽を、広く一般の人たちも聞くことができるようになりました。

150年ほど続く、この時代の有名な作曲家は、初期にはオペラを書いたモンテヴェルディ（イタリア）がいます。盛期には、バレエを書いたリュリ（フランス）がいます。後期にはバッハ（ドイツ）とヘンデル（ドイツ→イギリス）の二大巨匠と、ヴァイオリン奏者だったヴィヴァルディ（イタリア）がいます。

当時の作曲家は教会に勤めていて、神さまの前ではかつらをつけていました。ずっとかつらをつけっぱなしなので、頭皮がむれたりして、髪の毛がはえなくなった人も多かったといいます。私はちがいますけどね。

バロックとはもともと美術の用語で、「ゆがんだ、いびつな」という意味です。装飾品の真珠は完全な球形が最上ですが、おもしろい形をしたものをバロック真珠と呼んで、個性的な商品として取り引きされています。しかし、現在、バロック時代の音楽を聞いても、いかめしさや豪華さは感じるものの、ゆがんだ感じや、いびつな感じは全くしません。これはどうしたことでしょうか。

それは、前の時代であるルネサンスの音楽と比べてのことです。ルネサンスを代表する作曲家、パレストリーナ（イタリア）の曲を聞いてみると、そのちがいがわかりますよ。これはバロック時代に楽器の性能が上がったことが理由の一つで、そのためにどんな複雑で起伏のはげしい曲でも弾けるようになりました。演奏技術の向上と競い合うようにして、作曲家もどんどんむずかしい曲を書くようになったのです。

といっても、簡単な曲もありますから、リコーダーなどで演奏してみてください。

■音楽だと「ゆがんだ」感じがわかりにくい人（Bも）は、美術を見るといいですよ。バロック時代のルーベンスなどは、ここまでゴテゴテ描かなくてもいいのに、と思うほどですし、人物の体形もふつうではありません。

第37回／2017年9月17日

♣フーガは追いかけっこで聞きにくい！
——弾くのも大変

バロック時代にしばしば書かれた曲の形式が、「フーガ」です。

もともと「にげる」「追いかける」という意味の言葉のとおり、二つ以上のメロディー（旋律）が、にげたり、追いかけたりして進んでいきます。どちらが伴奏ということはなく、いくつものパートがちがうことを主張し合うので、全部を聞き取ることは不可能に近い曲です。

なぜそんな曲が書かれたのかというと、たてまえとしては、神さまの前では、みんな平等だという考え方からです。何人もの人が同時にちがうことを言っても、神さまはちゃんと聞いてくださるはずだというのですね。でも、これは、西洋人たちの会話の習慣から出てきたのではないでしょうか。

日本をふくむ東洋では、他人がしゃべり終わってから自分の意見を言いますね。でも、西洋人は主張がはげしく、他人がしゃべっているのに、自分の主張を始める人が多いのです。まるで、NHKの座談会と、それ以外のテレビのバラエティショーのちがいのようです。そして、何人もが言い合うとき、どうすれば少しでも自分の声が聞こえるのかという作曲法が生まれ、これを「対位法」と呼ぶのです。東洋ではまず、だれかが主旋律を歌い、ほかはそれを伴奏するという作曲法が生まれました。西洋ではそれはずっと後のことだったのです。

この対位法の技術を使って書かれたのがフーガです。しかしそれこそ、500曲以上のフーガを書いたバッハでさえも二つとして同じ構成の曲はありません。決まっているのは、最初に現れる主題と、始まる音を変えた「応答」、それらについて出てくる「対唱」を用いることだけです。そして、これらが出てくる部分を「提示部」、直接には出てこない部分を「嬉遊部」と呼びます。終わり近くに、追いかけが接近する部分があり、その部分を「接近部」と呼びます。ここが山場になるのです。むずかしい言葉ばかりですみません。

はじめの主題は覚えやすいので、何回出てくるか数えてみましょう。

■数えてみましょう、と一言で言いましたが、これは容易なことではありません。拡大や縮小（長さの変化）、その冒頭だけ、というものもあるので。そのように聞けばあきないだろうと思って書いたまででした。

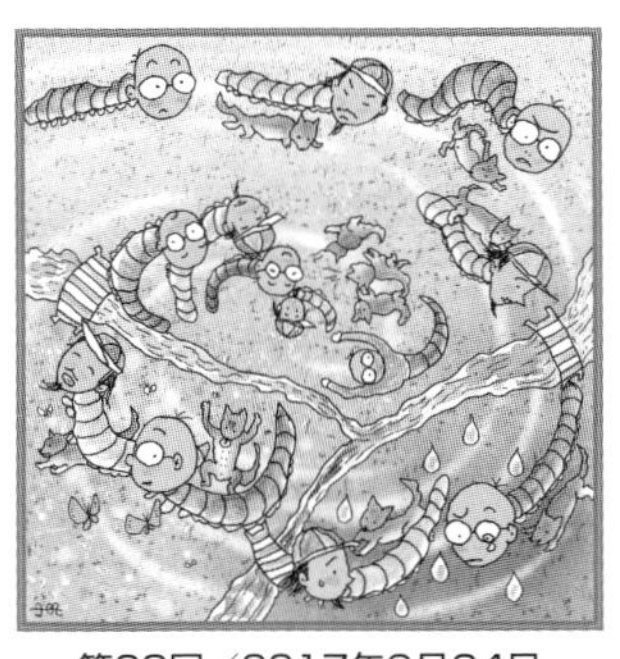

第38回／2017年9月24日

◆カノンは永久に――耳をふさがないで

追いかけっこのフーガを聞いてはみたけれど、むずかしくてよくわからないというときは、「カノン（輪唱）」を歌ってみてはいかがでしょう。これまた追いかけっこの曲ですが、ずっと単純でわかりやすいものです。何よりもすぐにみんなで歌って楽しめるのがいいですね。

小学校でもよく歌われている輪唱曲は「かえるの合唱」（ドイツ民謡、岡本敏明作詞）です。四つに分かれたパートが、同じ間かくで次々と歌い出し、全部そろったときには、充実した響きが味わえるのです。小学校に入る前の人でも歌えますが、「つられる」と言って、耳をふさぐのだけはやめてください。輪唱だけでなく、アンサンブル（合奏、合唱）の楽しさは、ほかの人と自分とがどのような関係になっているかを知ることにあるのですから。

そして、この曲はたった8小節しかないのに、くり返しによってそれこそ無限に続けることができます。表現はパートごとに強弱をつけたり、全体で変化させたり、速度を変えたりすれば、聞く側もあきません。終わり方は1パートずつやめたり、同時に終えたりすることも可能です。ただ気になることは、全国の小

学校でこの歌詞を「ゲロゲロゲロゲロゲロ……」と歌っていることです。作詞者は「ケケケケ……」と書いていますので、ぜひ直してください。

カノンは、山びこやこだまといった自然現象を、まねたことから始まったものだと考えられています。現在知られているもっとも古いカノンは、1250年（または1310年）にイギリスで出版された「夏のカノン」ですが、おそらくもっと前から歌われていたにちがいありません。こうした曲は、一般の人びとの楽しみのために歌われていました。そして、どんな間かくで、どんな方法で、どんな高さで、いくつのパートで追いかければいいのかを、歌う人が考えるという知的な遊びにも用いられたのです。

時代が進んで、モーツァルトやベートーヴェンも、誕生日のプレゼントや手紙のそえものとして、たくさんのカノン（中には、「俺の尻をなめろ」なんて曲もあります！）を書いたのでした。

■世界で一番多くカノンを書いた人は？　と問われたら、答えは（おそらく）Bです。何しろ『教育音楽』という月刊誌に20年連載していて、その数500をこえるのですから。でも大した曲はなく、もっぱら質より量ですけどね。

第39回／2017年10月1日

♠鑑賞教室をもっと楽しく——リラックスして

あなたの学校は音楽鑑賞会を開いたことがありますか? 3年ごとに音楽、演劇、伝統芸能を見聞きすることになっているので、小学生の間に2回は体験するでしょう。しかし、その演奏の質が問題になっているのです。

音楽の場合、学校が演奏家を招くのですが、多くの場合、彼らを紹介することを仕事としている事務所に、たのみっぱなしにしているようです。学校にパンフレットが送られてくるのですが、本当にそこにのっている人が来るのかどうかもわかりません。また、演奏者も直接、学校側と話ができないので、学校の要望や特色なども把握しないでやってくることが多いのです。

現在は、個人情報を他人に公開しなくなっているので、少しむずかしいのですが、可能ならその学校と関係のある音楽家に直接連絡してみるのはどうでしょうか。歴史がある学校ならかならず、新しい学校でも先生方の教え子の中に一人か二人はいるはずです。不幸にしてそういう人が見つからなければ、ほかの学校にたずねてみてもいいかもしれません。評判の良い演奏者を紹介してもらうとか……。でもこれは、先生方に申しあげるべきことですね。
小学校に演奏に行って困ることは、みなさんがあまりに静かなことです。極端な例としては、先生が「ちょっとでも音をたてたら、演奏者の先生方がお帰りになってしまう」なんて言って、竹刀を持って立っていらっしゃいました。子どもたちといっしょに歌ってもらうのに、本当に苦労したことがあります。上級生の女の人たちが「そんな子どもっぽいこと、やってられないわ」という顔をして、冷やかな感じなのも困ります。ぜひここは、全校児童で楽しい聞き方を話し合ってみてください。

演奏時間は長くて1時間です。あらかじめトイレに行っておきましょう。一人が行くと、つられてどんどん行ってしまうものです。授業時間内にトイレに行かなくてすむ人なら大丈夫！

でも、体育館の床に直接座ると冷えることもあるので、椅子を持っていくとか、ざぶとんをしく、とか、そういう方法も先生と相談してみてください。

■困ったことは演奏にたいする謝礼の問題です。当日参加した人の、ということになっているようで、それでは一人も来なかったら収入はゼロですね。また一方的に中止されてしまうことも多いのです。改善してほしいです。

第40回／2017年10月8日

♥ドビュッシーはふにゃふにゃ……

――言葉も同じみたい

フランスは長いこと、大作曲家を生み出しませんでした。それは、フランス語という言葉のせいです。音楽はまず、歌から始まります。フランス語は、イタリア語のように長く母音（アイウエオ）をのばしたり、ドイツ語のようにはっきり子音（母音の前につく音）を発音したりしません。何となく、つぶやくようなしゃべり方です。そのため、感情を激しく表現することはむずかしいのです。

ですが、19世紀の後半になってやっと、そういうやわらかな言葉を、音楽に置きかえることができる作曲家が現れました。それがドビュッシー（1862〜1918年）です。聞く人たちが、それまでのベートーヴェンに代表されるかたい感じの曲とはちがった音楽を、求め始めたのでしょう。しかし、最初のうちはほんの一部の人にしか認められませんでした。

同じころ、美術の世界でも新しい動きが起こり、マネやモネといった画家が輪かくのはっきりしない、もやもやとした絵を描いていました。「印象派」と呼ばれる人たちです。それを受けて、音楽も同じ名前で呼ばれたのです。

印象派の芸術家は、それまでは表現しにくかった雨や雪、月や星の光、煙などのびみょうな感じを、色や音で表そうとしました。でも音楽では、音のしないものを楽器で伝えることは困難でした。

ドビュッシーの名を世に知らしめた「牧神の午後への前奏曲」（1892〜94年作曲）は、主人公が昼寝をしている間に見た夢を描こうとしています。メロディー（旋律）ははっきりせず、口ずさむこともできません。すべてが霧の中で演じられているように思えます。聞く人は不安になるかもしれません。

また、「小組曲」では、ボートが池の上をすべるところや、バレエのけいこをしているところを曲にしています。前者はモネの「睡蓮」の絵と似ていますし、後者にいたっては、これまでバレエのために曲を書くことはあっても、その動きを音楽にしようと思った人はいませんでした。

そして、この活動が20世紀に起こる新しい芸術の第一歩となったのです！

■音楽は好きか、きらいかをはっきり言ってかまわないのです。Bはフランス音楽にどうもなじめません。でも15歳のとき、フランス系の作曲の先生についてしまったのでした。この悩みは一生ついてまわるのかも……。

第41回／2017年10月15日

♣変奏曲は変装曲!?

——お化粧は大人になってから

多くの女の人はお化粧をします。小学生のくちびるはピンク色をしていますが、大人になると茶色っぽくなるので、口紅というクレヨンをぬります。まぶたにも、しわが寄ってしまうので、アイシャドーという絵具をぬります。体にはよくないかもしれませんが、美しくなるために大変な努力を重ねているのですね。

曲の作り方に変奏曲というのがあります。もとは単純な音楽を、華やかに変えていきます。モーツァルトの「キラキラ星（ああお母さん、あなたに申しあげましょう）変奏曲」を例にあげましょう。

まず、①右手が細かくなり ②左手が細かくなり ③右手の音域が広がり ④左手の音域が広がり ⑤両手の対話——となります。それから、⑥新しい部分が始まり ⑦音階が使われ ⑧悲しくなり ⑨追いかけがあり ⑩手が交差し ⑪ゆっくりになり ⑫拍子が変わって速く——という12の変奏が行われます。

即興演奏されることが多く、バロック時代（バッハ以前）は、一番低い音が常に決まっていて、その上で何回変奏できるかを競うことも聞く人の楽しみでした。ヘンデルにはなんと、62の変奏を持つ曲もあります。

その場の気分にまかせて弾く即興であっても、ある程度全体を見こして弾かなければ、まとまりのない

曲になってしまいます。先の例のように、ピアノ曲なら、両手のあつかいを変えるとか、オーケストラならメロディー（旋律）を担当する楽器を決めておくとか、そういう工夫が必要です。また、お客さんにあきられそうな場合は、とつぜんおどろかせるような、強弱の変化や技巧を見せるなどの方法を考えておきます。そして、曲の中央部では調（使う音）を変え（楽しい場合は悲しく）、終わりは拍子を変えて速く、その一つ前はゆるやかに細かくするのがふつうです。

古典派まではもとになる曲が聞き取れるように変えていました。しかし、ベートーヴェンからはかなり変化させ、どこか一部分がやっとわかるような曲もあります。

変奏曲は演奏者の技術によって、どこで終わってもかまいません。友だちと分担を決めて弾いてみましょう。もとの曲をはじめに歌ってもいいですね。

■だいたいにおいて、曲は後ろに行くほどむずかしくなるので、変奏曲は全部弾かず、後半を省略してもよいでしょう。あたえられた演奏時間が短いときも便利ですね。また、作曲の初歩にも向いています。作ってみてください。

第42回／2017年10月22日

♠プレゼントは何がいい?!
――大きくなくて軽いものが

友だちが出演するピアノの発表会に呼ばれたとき、何か贈り物をしたいと思うでしょう。1年に1回だけの晴れの舞台ですから、おうちの方と相談して、その人が前からほしがっていたものをわたすと喜ばれますよ。

昔から花はよく使われていましたが、それにこだわる必要はないでしょう。ただ、少しばかり音楽と関係のある、たとえばオルゴールとか、鍵盤が描かれているハンカチなどは気がきいていますね。それは演奏が終わってから、楽屋（舞台の裏にある部屋）でわたすのがいいのです。ステージにかけよってわたすのは、音楽会のさまたげになりますし、その友だちはうれしくても、もらわない人は悲しく思うでしょう。花をわたすにしても、あまり大きな花束は持ち帰るのに困りますね。庭に咲いた花を使って自分で作ってみたら、世界に二つとない花束になりますよ。

しかし、こうしたプレゼントは、趣味で音楽会をやっている相手にはいいのですが、仕事としてやっている人の場合には、ちょっと困るのです。

プロの音楽家は音楽を演奏することによって、毎日生活するお金を得ています。つまり、みなさんの家族が働いてお金をもらい、それで生活しているのと同じです。よく、学校の鑑賞教室に招かれて行ったとき、いただくお金は少ないのに、それよりはるかに高価な花や品物をいただくことがあります。そんなとき「これがお金だったら収入になるのに」と思ってしまいます。

みなさんのお父さんやお母さんが会社員だったとして、給料のかわりに花束をもらってきたら、家計はどうなるでしょうか。もちろん、お金や品物などについて決めるのは先生たちなのですが、演奏者にわたすのはみなさんということもあるでしょう。一度話し合ってみてはいかがでしょうか。

夢のない話ですが、花はいただいても食べられないし、枯れてしまいます。花を買うお金は、学校の図書室に入れる本代に回したほうがいいのではないでしょうか。申しあげにくいことですが、いつも感じていることなのです。

■音楽会からの帰りは大変です。いただいた花やお菓子を全部持ち帰るのですから。花は駅で売ったり、食べ物は公園にいる人にあげたことがあります。音楽家はみんな現金が欲しいと思っているのですが……。

第43回／2017年10月29日

♣ト音記号はソ音記号 ——アクセサリーにぴったり！

楽譜には、最初の部分にタツノオトシゴみたいなかっこうをした印がついています。ピアノ曲では、2段あるうちの下の五線には、カブトムシの幼虫のような印がついていますね。これらは「音部記号」といって、五線のどの線が何の音かを決める働きをしています。「えっ？　ダンゴのまん中に1本線を引いてある音符がドじゃないの？」という声が聞こえてきそうです。

実は、タツノオトシゴ印の書き始めの音がソと決まったために、そこから数えてドになっただけなのです。これを「ト音記号」と呼びます。なぜ「ソ音記号」と呼ばないのでしょう。みんながよく知っている「ドレミ……」はイタリア語の音名で、日本語では「イロハ」で表します。「イロハ……」はラの音を「イ」に決めたので、「ソ」は日本語では「ト」となります。ソから始まる明るい感じの音階を「ソ長調」ではなく「ト長調」というのも、このためです。ピアノの鍵盤にはいくつものソの音がありますが、これはまん中のドから数えて、五つ上の高さです。楽譜では、高い音域を記すのに使います。

それにたいして、カブトムシの幼虫のほうは「ヘ音記号」と呼ばれます。まん中のドから五つ下のファの音を示します。「ファ」は日本語の音名で「ヘ」というからです。低い音域を記すための記号です。ピアノの左手の印だと思っている人もいますが、それはまちがいです。

それでは、私たちがよく知っている「ド」、つまり「ハ」音を示す記号はないのかというと、ちゃんとあるのです。中華料理の器に描かれているような形で、「ハ音記号」といいます。実は、これが歴史上もっとも早く現れ、五線のそれぞれの線につけられて、中央のハ音を示していました。しかし、現在は弦楽器のヴィオラや管楽器のトロンボーンに使われる程度に減少しました。

これらの記号は、それぞれの音がドイツ語の音名で呼ばれていたときの形がもとになっています。ソ＝ト＝G、ファ＝ヘ＝F、ド＝ハ＝Cとなり、その字が変形したのです。ヘ音記号についている2個の点は、Fという字の横棒2本のなごりなので、決して省略してはいけませんよ！

■「ソ音記号」と言わないわけはM君の姪（当時小学生）から尋ねられたので書きました。小さい人たちからの疑問は、ときに本質に迫っていて、当方も良い勉強になります。どんどん質問をお寄せください。

第44回／2017年11月5日

♥ミュージカルって音の遊園地
――ビデオを見るなら暗くして

毎日塾で勉強ばかり……という人は、休日におうちの人にミュージカルに連れて行ってもらってはいかがでしょうか？　それこそ夢のような体験が味わえることでしょう。

1600年ごろにイタリアで始まったオペラは、19世紀の半ばにウィーンでオペレッタへと変化しました。音楽がやわらかい感じになり、せりふがはさまれるようになりました。それまでは全部の言葉を歌っていたために、長ったらしかったのですが、これで物語が進むスピードが上がりました。しかし、出演者にとっては、歌だけでなく、せりふ回しも勉強しなければならず、大変なことになってきました。加えて大人の恋の遊びを描いたものですから、小学生向きとはいえません。

ところが、オペレッタは20世紀、海をこえてアメリカにわたりました。そして、ブロードウェーで新しくミュージカルになってからは、だれもが見て楽しめる舞台作品に変わったのです。

何が一番の変化かというと、踊り（ダンス）が加わったことでしょう。オペラやオペレッタにも踊りの場面（シーン）はあったのですが、ほんの少しだけで、専門の踊り手にまかされていました。それが、全員で派手なパフォーマンスをくり広げるようになったわけです。ですから、これを見るだけでも、血わき、肉踊る、と言っても言いすぎではありません。

そして、装置や照明も華やかで、とつぜん雪や花が舞ったり、星がかがやいたりします。物語とは関係のない人たちが出てきたり、衣装も目まぐるしく着がえたりして、絶対にあきさせません。まるで遊園地のようです。ときにはあなたの横に座っている人が歌い出すことだってあるのです。一度でもミュージカルを見た人が、出演したくなってしまうのも、当然のことでしょう。

近くに劇場がない人は、テレビやDVDをごらんになるのもいいかもしれません。しかし、音楽、とくに舞台芸術は、直接経験してこそ、意味があります。何かのおりに、おうちの人や先生にたのんでみたら、きっとかなうことでしょう。

■昭和時代——Bがミュージカルを見始めたころは、男性俳優に踊りは上手くても、歌はちょっと……という人が多かったのですが、今はそんなことはなくなりました。でもそうすると、出演するのは狭き門です。

第45回／2017年11月12日

♥ヨハン・シュトラウスは踊りたくなる！

——お父さんと同じ名前

19世紀後半のヨーロッパで一番人気があった音楽家は、ヨハン・シュトラウス2世（1825〜99年）でした。オーストリアのウィーンを中心に作曲とヴァイオリンで大活躍。そのためにピアノの詩人と呼ばれたショパンでさえも、ウィーンでは演奏することができませんでした。何しろ、自分がひきいるオーケストラを持ち、アメリカまで遠征したのです。書く曲のすべてが大あたりで、とくに舞曲にすぐれていました。「美しく青きドナウ」「ウィーンの森の物語」「皇帝円舞曲」「春の声」などのワルツ、「雷鳴と電光」「トリッチ・トラッチ（おしゃべり）」などのポルカ（速い舞曲）などを生み出し、シュトラウス2世は「ワルツ王」と呼ばれました。

ワルツやポルカは、聞いても、踊っても楽しく、社交界でも大人気でした。とくに、1814〜15年のウィーン会議では、「会議は踊る」といわれるほど、ワルツが踊られたのです。

ただし、ワルツを始めたのは彼ではなく、ドイツ舞曲のレントラー（ぐるぐる回る踊り）から進化したものです。男女が体をくっつけて踊るので、軽はずみだとか、回転するために腸がねじれて腸ねん転という病気になるとかいわれました。何回も禁止令が出たほどです。しかし、流行はおさまらず、現在まで宴会や舞台で踊り続けられています。

なぜ名前に「2世」と記すのかというと、父親も全く同じ名前だったからです。ヨーロッパには親が芸術家の場合、その職業をついでほしいと願って、同じ名前をつける習慣がありました。画家のブリューゲル、クラーナハ、作曲家のオスカー・ハマースタインなどがその例です。しかし、父親（後に「ワルツの父」の称号をおくられている）は息子が少し大きくなったとき、自分をこえてしまうのではないかと恐れをいだき、息子のヴァイオリンのレッスン代を払わなくなりました。そこで母親は自分で働いて、2世を父親よりも有名な音楽家に育てあげたのです。ちょっとケチな父親のほうは、音楽会のアンコールで使われる「ラデツキー行進曲」だけしか演奏されなくなってしまいました。2世の弟、エドワルドも音楽家として大成しました。勇気あるお母さんに拍手！

■Bが子どもを持たないのは、この理由につきます。音楽家はまず自分が可愛いのであり、他人が自分をこえることを善しとしないのです。こえられないほどの地位にもいませんし……。でもその前に、結婚していないからです！

第46回／2017年11月19日

♠チラシは予習でプログラムは復習にも
――50年もたつと貴重品

授業の予習と復習はちゃんとしていますか？　次に学ぶことをあらかじめ知っておいたり、習ったことを忘れないために確認したりするのは大切なことです。

音楽会で予習にあたるのが、チラシを見ることです。チラシという名前は、印刷された紙をさまざまな場所に散らすことからつけられました。ビラビラしているので、ビラともいいます。この紙には、いつ、どこで、だれが、何を、いくらで演奏するのかが書かれています。つまり、音楽会の宣伝ですね。人の目を引くように工夫をこらしてデザインされます。このうち「何を」というのは曲の題で、昭和時代はかならず全部のせるものでした。それが、重要な曲だけをのせて、後は「その他」と書くようになりつつあります。しかし、これはあまり良いことではないのです。お客さんは出演者と同じくらいに、その曲を聞きたいと思って来るのですから。みなさんが音楽会を開くときは、かならず全部のせてくださいね。できれば出演者の名前も、小さくてもいいから全員のせるべきでしょう。ポスターはチラシを拡大したもので、大規模な催しではかならず作られます。

プログラムは会場で当日配られ、もっとくわしい情報が書いてあります。出演者のあいさつや曲目の解説などです。曲の順番も正確にのっていて、演奏中に読みながら聞いたり、帰ってから思い出しながらながめたりします。つまり授業中の教科書でもあり、復習にも使うわけです。ですから、「紙の音がして演奏のじゃまになるから読まないように」というのはおかしいのです。好きな曲だったら、その場で印をつけたっていいですよ。

そして、音楽に興味のある人は、大切に保存しておきましょう。もし、あなたが音楽と関わるようになったとき、そこに出ていた人といっしょに舞台に出るかもしれないからです。現に、私はそうでした！昔、聞いてくださった人たちと会えることは、なんとうれしいことでしょうか。そして今、実際に楽しくおつき合いをさせていただいています。

■こうした音楽会の紙もの（エフィメラといいます）は、完成までとても楽しい作業となります。デザインに興味のある人は、ぜひどうぞ。ところで最近、チラシは豪華でプログラムが貧弱、というケースがよくありますが……。

第47回／2017年11月26日

♣なぜ「ド」は「A」じゃなく「C」なの!?

——いろんな国の言葉だよ

音の高さを示すのに「ドレミファソラシ……」を使うことは、多くの人がご存じだと思います。これは実はイタリア語です。もっと正確に言えば、ラテン語（昔のイタリア語）なのです。そうとは知らずに、みなさん自然にイタリア語を使っているわけですから、なんとすごいことでしょうか！

では日本語ではどういうかというと、「ハニホヘトイロ……」です。西洋の音楽を学校教育に取り入れた明治時代は、日本語に使われる五十音を示すのに、「あいうえお……」ではなく、「いろはにほへと……」が使われていたからです。でもそれなら、なぜ音階の始まりの「ド」を「イ」といわずに、「ハ」というのでしょう。これは、「ドレミファ……」を訳したからではないからなのです。

江戸時代末期に日本を開国させたのはアメリカで、そこでは音の名前を示すのに、「ABC……」のアルファベットを用いていました。しかし、アメリカは音楽の歴史のうえでは新しい国で、その文化の先祖はイギリスです。そして、イギリスをふくむ北ヨーロッパでは、音楽理論の中心地はドイツでした。つまり、「ドレミファ……」を使うイタリア系と、アルファベットを使うドイツ系の二つがあるわけです。イタリア系は歌がさかんで、歌いやすい言葉を選びましたが、ドイツ系はそれよりずっと後に、器楽——とくに弦楽器が発達してから、アルファベットを使う言い方が決まりました。

弦楽器は「開放弦」という指で弦をさわらずに出る音として、かならず「ラ」の音があります。オーケストラの音合わせには、かならず「ラ」から合わせる決まりがあります。それほど重要な「ラ」が「A」なら、それから三つ目の「ド」は「C」になるわけですね。

しかし、問題なのは、英語の読み方ならまだしも、ドイツ語の読み方はかた苦しく、歌を歌うのには適さないことです。そのために現在では、どこの国でも歌は「ドレミ」で、音楽理論の勉強ではドイツ語の「CDE」を使うことになっているのです。

残念ながら、「ハニホ」を使っているのは、日本だけです。

■なぜヨーロッパに生まれなかったのか、と運命を呪うのはこういうときです。少なくとも音楽で使う言葉は日本語ではありませんから……。初めて英語を習ったとき「ジスイズアペン」と仮名をふったのがなつかしいです。

第48回／2017年12月3日

♥ドヴォルザークは不器用だけど……

——英語も不得意でした

音楽家は一芸にひいでるより、いろいろできるほうが有名になります。作曲しかしない人より、指揮をしたり、ピアノを弾いたり、文章も上手で批評を書いたりする人のほうがもてはやされます。作曲をするにも、どんな分野の曲も書ける人のほうが便利ですね。

しかし、チェコ生まれのドヴォルザーク（1841〜1904年）は不器用でした。まず、作曲家がはじめに習うはずのピアノよりも、ヴァイオリンに親しみました。食肉商と宿屋をいとなむ家に育ち、ピアノが家にありませんでした。旅回りのヴァイオリン奏者がそこをいつも決まって泊まる宿屋にしていて、その人からヴァイオリンを習いました。そのため、彼のピアノ曲は少なく、一番有名な「ユーモレスク」でさえも、ヴァイオリンで弾いたほうが曲の力を発揮できます。ですが、弦楽器が中心となっているオーケストラ曲を書くときは有利です。交響曲は9曲あり、その9番は「新世界より」と呼ばれ、ベートーヴェンの「第九」とともに、交響曲の最高傑作として知られています。

新世界とは、彼が51歳のときに初めてわたったアメリカ（米国）のことです。ニューヨークの音楽学校

から招かれたために出かけました。デビューの遅かったドヴォルザークは、この時点でもまだかけ出しの作曲家と思われていて、学校側ではもっと有名な人物を呼ぼうとしていました。でも断られたので、しかたなく決めたのでした。英語が全くできないドヴォルザークは、出港するフランスのマルセイユまで来たところで米国帰りの同郷の青年を見つけ、通訳としていっしょに連れて行きました。渡米してからも彼は、アメリカ人になじまず、チェコの移民が住んでいる村や、しいたげられていた先住民たちとひんぱんに会っていました。

「新世界より」には、チェコや先住民の民謡がたくさん使われています。とくに第2楽章は「家路」と題されて、小学校の下校の音楽として使われています。その曲を聞くと、家のあるチェコに帰りたいと願っていたドヴォルザークの気持ちが、強く感じられます。

■TV番組で、ドヴォルザークになったことがあります。自分とは正反対のキャラクターで楽しかったのですが、一つだけ、語学が不得意という点ではいっしょでした。旅行にはドイツ語が堪能な友人について行ってもらったものです。

第49回／2017年12月10日

♥12月は幸せな音楽が！
――すてきな曲が勢ぞろい

12月になると、街にはクリスマスの曲が流れます。なんとすてきな、楽しい音楽なのでしょう！ちょっと注意して聞いてみると、そうした音楽は、おごそかな雰囲気とゆかいな曲想に分かれていることに気づきます。それはだいたいにおいて、ヨーロッパの曲かアメリカの曲かのちがいなのです。

クリスマスはキリスト教のお祭りで、その宗教を始めたイエス・キリストという人が生まれたお祝いの日です。キリスト教はヨーロッパから広まりましたから、まず、イタリア、フランス、ドイツなどでお祝いの曲が作られました。

一番有名なのは、「きよしこの夜（聖夜）」と題されたおだやかな曲でしょう。1818年にオーストリアのオーベンドルフという村で、教会に勤めるヨゼフ・モールが詩を書き、学校の先生をしていたフランツ・クサーヴァー・グルーバーが作曲しています。また、華やかな「もろびとこぞりて」は、バロック時代の巨匠、ヘンデルのメロディー（旋律）を使ったものです。英語がもとの詩です。この2曲は賛美歌集に入っていて、教会では、クリスマスの時期にかならず歌われています。「降誕（神さまの誕生）」と記さ

れたページには、作者が祈りをこめて作り、長い間歌われてきた人びとの愛情も加わり、聞いているだけで幸福な気分になります。

それにたいして、「ジングル・ベル」や「赤鼻のトナカイ」に代表されるアメリカ生まれの曲は、底ぬけに楽しく、体を動かしながら歌いたくなるものばかりです。まるで友だちの誕生日をいっしょにお祝いしているみたいですね。古いヨーロッパの曲とはちがい、ほとんどが19～20世紀になってから作られました。ですから、流行していたポピュラー音楽も取り入れて、どんな年代の人でも楽しめるようになっているのです。最近では、ドイツ民謡「もみの木」やロシア民謡「トロイカ」など、冬を思わせる曲もクリスマスソングとして歌われるようになりました。

どの曲もみんな、この時期だけよく演奏されたり、流れたりする曲ですから、どうぞいろいろ聞いて、味わってくださいね。

■クリスマスの曲に名曲が多いというのは本当のことらしく、Bが書いた2曲（一方は詩も）は、多くの人に歌われています。幼いころの思い出がよみがえってくるせいでしょうか。それにしては、お正月の曲もあるのに、歌われませんが。

第50回／2017年12月17日

♥神さまの曲もちょっとだけ……

——仏さまの曲もあるはず

クリスマスの時期には、本来キリスト教の教会で歌う賛美歌（神さまをたたえる歌）が浮かびあがってきます。世界中にはさまざまな宗教があって、それぞれの音楽を使っています。これらをひっくるめて「宗教音楽」と呼び、ときには音楽会で聞けることもあります。

西洋音楽の基礎となったのは、やはりキリスト教です。はじめは男性の聖職者たちが歌う「グレゴリオ聖歌」と呼ばれる、メロディー（旋律）だけの歌でした。ローマ教皇グレゴリウス1世（540?〜604年）が、6世紀の終わりごろに定めたといわれています。古いイタリア語にあたるラテン語で歌われるようになりました。このメロディーの上下に別のパートがつけ加えられて、合唱曲が生まれました。

キリスト教音楽でもっとも重要なのは、日曜日に行われる「ミサ」と呼ばれる儀式で歌う曲です。ミサ曲はふつう、5章に分かれています。

まず「キリエ」で、神さまに自分たちが弱い人間だとうったえます。次の「グローリア」でほめたたえます。こちらを向かせた上で、今度は持ち上げるのですね。3曲目以降は「クレド」（信仰）、「サンクトゥス」（聖らか）、「アニュス・デイ」（神の子羊）と続きます。その教えを信じていない人にとってはとてもわかりにくい歌詞です。

ほかの宗教でも、経典が音楽の基礎になっていることが、お寺などに行くとよくわかるでしょう。そこに鐘や鈴などの打楽器が加わったりして、それが伴奏になったのです。昔から伝わっている曲もあれば、新しく作られた曲もあります。最近では、イスラム教の聖典であるコーランや、アメリカのキリスト教会から始まったゴスペルなどは「世界音楽」にまとめられることもあります。信者たちはどう考えているのでしょうか……。

神秘的な曲が多いので、なんとなくなじめないと感じる人もいると思います。そんな人は集会の始まりに弾かれるオルガン曲を聞いてみてはいかがでしょう？　入場のBGMですし、昔は一般の人が音楽を聞くチャンスは、教会のオルガンだけだったのですから。

■Bが通っていた玉川学園（高等部）にはクリスマス礼拝という行事があり、そのはじめは照明を暗くしてグレゴリオ聖歌を流すのです。すると女生徒が決まって「お便所に行きたくなっちゃう」とつぶやくのでした……。

第51回／2017年12月24日

♥もう一晩ねるとお正月！

――この文は大みそかに載りました

1年で一番、日本らしさを味わえる時期は、何といってもお正月でしょう。神社へお参りに行ったり、和服を着たり、おもちをはじめとして、日本古来の食べ物を食べたりしますね。

音楽も、わが国ならではの作品がたくさんあります。まず、わらべ歌。「お正月がござった」など、子どもたちがお正月が来るのを楽しみにしている様子が伝わってくる曲が、いくつもあります。

「一月一日」という、今なお歌われている名曲は、1893年に文部省（今の文部科学省）が「小学校祝日大祭日歌詞並楽譜」の中で発表した唱歌です。作曲した上眞行は、雅楽の演奏家です。日本で初めて西洋音楽を学んだのは、彼らでした。当時は、「ドレミファソラシド」の「ファ」と「シ」を使わないで作曲することが主流でした。しかし、この曲では早くも「ファ」の音が使われていて、それが新しい時代が始まった感じをよく表現しています。

続いては「お正月」。この曲は滝廉太郎が作曲し、1901年に刊行された『幼稚園唱歌』で発表されました。こちらは「もういくつねると」という歌詞で始まるので、年の暮れに歌うべきなのでしょうが、お正月の風物がたくさん盛りこまれていて楽しさが伝わってきます。

これに比べ、ヨーロッパやアメリカなど、クラシック音楽を生み出した国はどうでしょうか。新年の曲は全くないわけではありませんが、むしろ「大みそかの歌」（シューマン作曲）といった題名の曲が多いようです。少し前のクリスマスを盛大に祝うので、すばらしい曲が全部そちらに取られてしまった感じです。両方の音楽が楽しめる日本は、本当に幸せな国だと今さらのように感じます。

新春とも呼びますから、少し早いですが、春の歌も歌われることがあります。オーストリア・ウィーンの新年コンサートでも、「春の声」（ヨハン・シュトラウス2世作曲）が演奏される決まりになっています。日本でも「さくら」や「春の海」を琴や尺八で演奏したりしますね。

この時期は、テレビやラジオなどでも日本の楽器で演奏する音楽がふえます。ぜひ耳をかたむけてください。

■クリスマスが洋のお祭りだとしたら、お正月は完ぺきに和のお祭りです。一週間のうちに、これほど異なった文化の体験ができるのは、日本ならではです。ただBにとっては、いつのころからか、静かにすごす休日になりました。

第52回／2017年12月31日

はじめまして
よろしくね
From NOTO

第2章

2018年1月～12月

♥五人集まればこわくない！――みんなで割れば費用も

19世紀半ばのことです。ロシアのクラシック音楽は、「近代ロシア音楽の父」と呼ばれるミハイル・グリンカによって始まったばかりでしたが、それを引きつぐ若い作曲家たちが現れました。それは「力強き五人組」と呼ばれる人たちです。

なぜ五人が集まったのかといえば、彼らは音楽の専門教育を受けておらず、全員別の仕事を持っていて、作品を発表する手段を持たなかったからです。休みの日だけ絵を描く「日曜画家」がいますが、それこそ「日曜作曲家」だったわけです。一人では、会場を借りたり、オーケストラをたのんだりするお金がなくても、五人なら何とかなるだろうと思ったのですね。

実は、現在でもこうしたグループはあります。しかし、その多くがグループの名称はそのままで、メンバーがどんどん入れかわったり、「開店休業」の状態だったりしています。

しかし、ロシアの五人組は強い連帯意識を持ち、活発に活動しました。「ロシアの人びとのために、本当のロシアらしい音楽を書きたい」という目標があったからです。ヨーロッパからきた音楽は借り物で、ロシアの民謡にこそ、求める音楽があると考えたのでした。

中心人物となったのは、水兵をしていたリムスキー＝コルサコフです。彼は作品数も多く、とくにオペラやオーケストラなどの大規模な曲が得意です。オーケストラの書き方である『管弦楽法』の本も残しています。音楽上、最高だったのは、税官吏（税関職員）のムソルグスキーです。「展覧会の絵」など、独特な世界を表現しましたが、残念なことにお酒で精神状態が不安定になり、その作品の多くはリムスキーによって完成されました。化学者のボロディンは、二つのちがう民謡のメロディー（旋律）が後に重なるという管弦楽曲「中央アジアの草原にて」で、有名です。音楽学校を開いたバラキレフは、このグループの呼びかけ人です。ピアノ曲「イスラメイ（東洋風幻想曲）」のみが現在でも演奏されます。最後のキュイは、フランス人の軍人です。あまり重要ではないなどといわれていて、かわいそうですね。

■日本でも、若い人たちが五人でグループを組むことはよくありますが、作曲家が集まるとき、室内楽の発表会ならまだしも、オーケストラ曲の場合は、四人がふつうなのです。でも一人でも多ければ、費用は安くなるんですよね。

第53回／2018年1月7日

♥六人組もいるんだぞ！——七人以上はどうかしら

ロシアには19世紀の後半に「五人組」と呼ばれる作曲家グループがありましたが、フランスでは20世紀前半に「六人組」が結成されました。

彼らはパリ国立音楽院（コンセルヴァトワール）という学校の同窓生で、そのうちの三人は同級生です。はじめはサティという新しい考え方を持った作曲家のもとに集まっていましたが、1917年ごろに中心人物となるプーランクが加わったことによって、新しい仲間での活動が始まりました。

当時は、ドビュッシーが行った「印象派」と呼ばれる、もやもやした夢の中のような作曲法が流行していました。しかし、詩人のジャン・コクトーは、それに代わる新しい音楽が必要だと新聞に書きました。それによって六人が目指すことになった「新古典主義」が生まれたのです。これはモーツァルトが現代に生きていたら書いただろうと想像されるような、メロディー（旋律）とハーモニー（和声）がはっきりした、わかりやすい構成の音楽です。

もちろん20世紀ですから、ぶつかる音があったり、ジャズや東洋風のリズムと響きも入っていますが、

全体として明るく楽しい感じです。彼らは同世代の美術家たち（ピカソほか）とも親交がありましたから、この時代にパリで活躍した芸術家をひっくるめて「エコール・ド・パリ」（パリ派）と呼ぶこともあります。

六人組の代表的な存在のプーランクは多作で、どんな種類の曲でもすぐに書いた人です。「フルート・ソナタ」を聞くと、その特徴がわかります。ミヨーも速筆で有名ですが、器楽曲にすぐれていて、2台ピアノのための「スカラムーシュ」は底ぬけに楽しいリズムです。オネゲルはもっとも時代に敏感で、機関車の動きを表した「パシフィック231」が有名です。オーリックは映画音楽を手がけ、女性のタイユフェールは子ども向きの作品がよく演奏されています。デュレはすぐに脱退してしまいました。

そのデュレをのぞく五人のバレエ音楽「エッフェル塔の花嫁花婿」が、彼らの結びつきを示しています。

■五人もそうですけど、六人になってくると、中のだれか一人ぐらいは存在が薄くなります。ロシアではキュイ、フランスではデュレがそうでした。音楽史の本では「あまり重要でない」などと書かれて、ちょっとかわいそうです。

第54回／2018年1月14日

♥唱歌が忘れられていきそう……

——覚えていてね

学校の音楽の授業で習う歌を、以前は「唱歌」と呼んでいました。明治時代から昭和20年代まで、文部省が中心になって詩や曲を依頼し、教科書にのせたので、「文部省唱歌」と呼ばれています。日本の四季の美しさや、人間がどう生きるべきかを短い曲の中にうたいこんでいます。明治末期に作られた「春が来た」や「雪」は、みなさんもきっと歌ったことがあると思います。

しかし、そうした曲がどんどん歌われなくなりつつあります。なぜかというと、歌詞が現在の生活とそぐわなくなったということや、古い言葉なので若い人たちにはわからないことがあげられます。

「われは海の子」（1910年＝明治43年）は勇ましい感じで、6年生の教科書に掲載されました。しかし、「煙たなびく とまやこそ」の「とまや」（かやぶき屋根の粗末な家）が、古い言葉でわかりにくいと議論され、教科書からはずされそうになりました。「茶つみ」（1912年＝明治45年）は、調子のいいリズムの明るい歌で、手あそびに使われたりしていますが、これまた姿を消しそうになったのです。その理由として、静岡県だけの行事であること、「夏も近づく八十八夜」にしか歌えないこと、「あかねだすきに菅の笠」をつけて作業をしている人は、もういないことなどがあげられます。また、「村の鍛冶屋」（1912年＝大正元年）は4年生で歌われていましたが、鍛冶屋という職業はもうなくなってしまったとして、歌われなくなってしまいました。

しかし、これらの歌には、日本人全員が心を合わせることができるという良さがあります。世界中の国の中で、お年寄りから小学生までが、みんなで一度に歌える曲があるのは、実に日本だけなのです。それが証拠に、大きな災害が起きたときなどに、1914年（大正3年）に作られた「故郷」が歌われ、復興のよりどころになっています。この曲にも古い言葉使いがあるのに、みんな当然のように歌っていますね。

ですから意味を調べて、古い唱歌をもう一度呼びもどしませんか。一つの歌が消え去るということは、大勢の人びとの思い出を消してしまうことなのです。

■オペラ歌手たちと仕事をするたびにおどろくのは、唱歌をほとんど知らないということです。しかも悪びれずにそう答えます。音楽にたずさわる者なら知ろうとしてほしいです。Bは幼稚園や小学校で習った唱歌は全部覚えていますよ。

第55回／2018年1月21日

♥子どもの歌は江戸時代から……

——昔はみんなで作っていた

子どもが歌う歌を「童謡」といいます。日本は世界に名だたる童謡の宝庫ですが、江戸時代までに歌われていたのは、だれが作ったのかわからない「わらべ歌」でした。おそらく、子どもたちが遊んでいるときにとなえた言葉が、自然に曲の形をとったのでしょう。「かごめかごめ」や「花いちもんめ」などを歌いながら遊んだ人は、まだ多くいるはずです。

明治時代に入ると、西洋の作曲法を学んだ人たちが「唱歌」を書きました。しかし、これは勉強するという姿勢が強く出たもので、実際の生活からは少しはなれていました。外国の文化水準に追いつこうと、大人たちが必死になっていたのですね。

大正時代になると、世の中も落ちつき、子どもの気持ちを思いやる作者が現れ始めます。

作家で詩人の鈴木三重吉が創刊した『赤い鳥』は、日本の童謡・童話の発展に大きく影響をあたえた雑誌で、美しい絵とともに楽譜ものっていました。「からたちの花」（北原白秋作詞、山田耕筰作曲）、「かなりや」（西條八十作詞、成田為三作曲）は今でも歌われています。しかし、子どもたちが歌うには、少し音域が広すぎるように思われます。「かなりや」は歌えなくなった小鳥をどうするか、みんなが相談する内容です。

昭和の前半は、日本は戦争にとりこまれていき、子どものための文化どころではなくなりました。

戦後になると、NHKがラジオで幼児向けの歌番組「うたのおばさん」を開始し、新しい歌がどんどん作られました。「ぞうさん」（まどみちお作詞、團伊玖磨作曲）、「めだかの学校」（茶木滋作詞、中田喜直作曲）など、子どもの生活によりそった曲が多く、現在でも全く古びることなく歌われ続けています。

1959年にはNHKがテレビで幼児向けの教育・音楽番組「おかあさんといっしょ」の放送を始め、歌のお姉さんが「おもちゃのチャチャチャ」（野坂昭如作詞、越部信義作曲）などの曲を身ぶりも加えて楽しく歌っています。

大人たちからの歌のプレゼントを大切にしてください。
■童謡協会という団体から頼まれて講演し、現在も、子どもの歌がたくさん作られていることを知りました。しかし、残念ながらあまり魅力のある作品が見あたりません。どうか実力ある作詞・作曲の方がた、生み出してくださいませんか。

第56回／2018年1月28日

♥ヴィヴァルディは即決主義

――その場しのぎとも言えるかも

作曲家で演奏家をかねている人は大勢いますが、その多くはピアノやオルガンなどの鍵盤楽器が得意でした。その次はヴァイオリンでしょうか。「ワルツ王」ヨハン・シュトラウス2世や、バッハと同じころのヴィヴァルディはヴァイオリニストとしても超一流でした。

「赤毛の司祭」と呼ばれるヴィヴァルディ（1678〜1741年）はその名のとおり、教会に勤める司祭でした。かつては結婚することも、特定の女性と交際することも許されていませんでした。かたやヴァイオリニストは、ヨーロッパ中を演奏旅行する社交界の花形です。女性と仲良くなる機会もたくさんあったことでしょう。ある日、女性を連れて演奏会の開かれる町に着き、町の門をくぐろうとすると門番に呼び止められました。「あなた、ヴィヴァルディさんでしょう。司祭は女の人といっしょでは町に入れませんよ」。するとヴィヴァルディはすぐさま、「では今日は司祭をやめますから」と言って、堂々と女性を連れて入ったのでした。司祭という仕事をたとえわずか一日でも、そんなに簡単にやめられるのかどうかわかりませんが、彼は教会のための曲を数多く書いていますから、大目に見てもらえたのでしょう。

1000曲を優にこす作品の中で一番有名なのは、自分が弾くために書いた「四季」です。これは協奏曲で、バロック時代は大合奏と小合奏がかわるがわる弾くという方法が主流でした。その小合奏の部分が一人になった形を「独奏協奏曲（ソロ・コンチェルト）」と呼び、現在の協奏曲につながります。ヴィヴァルディはそのヴァイオリン独奏を受け持ちました。

曲は「春」「夏」「秋」「冬」の4章が、それぞれ3楽章に分かれています。おそらく本人が書いた詩が楽譜の中に書きこまれ、音楽はそれを描写します。「春」の第1楽章では鳥の声、小川の音などが表現されています。「冬」の第1楽章では寒くてふるえて、歯と歯があたる音が表されています。

ベートーヴェンの「田園交響曲」も、スメタナの「モルダウ」も、ヴィヴァルディのこの曲がなければ生まれませんでした。

■本当に軽々と曲を書けた人だと思います。悩みの片りんもない……、実生活もそうだったのでしょう。似た人にヘンデル、ハイドン、ヨハン・シュトラウス2世があげられます。Bもそういう作曲家になりたいと思っていました。

第57回／2018年2月4日

♥日本音楽の父はおちゃめ

――そしてバイタリティあふれる人

あなたの名前には、どんな漢字が使われていますか。学校では習わないような古い漢字（旧字体）が使われている人もいるかもしれませんね。

「日本近代音楽の父」（日本近代音楽の祖は滝廉太郎）と呼ばれる山田耕筰（1886～1965年）の本名は「耕作」でした。一般的に使われている「作」の字です。それを40代のころ、突然「筰」に変えてしまったのです。人間はこれまでの過去をふり捨てて、新しい自分になりたいと思うとき、改名にふみ切るものですが、この場合は何がきっかけだったのでしょうか。

実は、髪の毛が全くなくなってしまったからなのです！　現在でも毛はえ薬は発明されておらず、発明したらノーベル賞をもらえるくらいすごいといわれています。どんな手段を講じてもはえてこなかったので、名前の字に毛をはやしたのでした。字に毛をはやすとはどういうことかというと、「たけかんむり」は「⺮」と書き、カタカナの「ケ」が二つ並んでいますね。「ケ」はつまり「毛」なのです。しかし、本当にこんな字があるのかと友だちの詩人、北原白秋がたずねると、「中国の字典にある」と答えたそうです。

山田耕筰は博学で、姓名判断をするくらい漢字にはくわしい人でした。後に團伊玖磨（「ぞうさん」の作曲者）が習いに来たときも、「あなたの名前は作曲家に向いている」と言って、生徒にしたといわれています。「筰」は実在する字なのでしょうが、日本では、この人の名前のためだけに活字が作られました。

先輩にあたる滝廉太郎が病気のためドイツ留学半ばで帰国し、亡くなってしまったので、その後をつごうと長くドイツにとどまりました。そしてあらゆる音楽の技術を身につけて日本にもどり、わが国初の交響曲を作曲したり、オーケストラを創立させたりと、大活躍をしました。そのすべての楽譜は美しく書かれ、規則上のミスが全くないのはおどろくべきことです。そして400曲以上ともいわれている歌曲――「からたちの花」「この道」「待ちぼうけ」「赤とんぼ」などは、今なお歌われ続けています。

■オペラ活動（日本楽劇協会）の大赤字を、死後までかかって著作権費でやっと返せたそうです。彼の曲がそれだけ演奏されている証拠です。同時代の誰の曲よりもすばらしい！　それは残された大量の楽譜を見るたびの感想です。

第58回／2018年2月11日

♥オペラ王は悲しいのがお好き

——少女漫画みたい！

劇を物語の点から二つに分けると、喜劇と悲劇になります。それぞれ楽しい筋（ストーリー展開）と悲しい筋のお話です。みなさんはどちらがお好きですか。

オペラやミュージカルも音楽が加わった劇ですから、この二つの種類があります。そして、作曲家はどちらか一方だけを得意とするものなのです。たとえばモーツァルトは20作以上のオペラを書きましたが、成功したのは喜劇のほうでした。「フィガロの結婚」や「魔笛」などを見たことがありますか。見た後は楽しくなって、鼻歌を歌いながら帰りたくなるでしょう。

「オペラ王」と呼ばれるイタリアのジュゼッペ・ヴェルディ（1813～1901年）もたくさん作曲していますが、そのほとんどの作品は、主人公が死んでしまうという悲劇です。とくに作曲する力がみなぎっていた中期に書かれた「椿姫」「イル・トロヴァトーレ」「リゴレット」の3作品は、どれも主人公が社会的にしいたげられていた身分や職業で、周囲に理解してもらえずにいじめられるという内容です。

なぜ、こんなに悲しい物語が有名になったのでしょうか。

私たちが悲しい劇を見る場合、二つの気持ちが起こります。一つは、そのような境遇にある人の心を思いやり、なんとか助けたいと思うはずです。もう一つはあまり良いことではありませんが、自分の現状が、それほどひどくないことを確認して安心します。ヴェルディのこれら3作品の中で、もっともよく上演されるのが「椿姫」です。

「椿姫」の主人公ヴィオレッタは結核で、しかも自分の美しさを売る仕事をしているために、だれからも本気で愛してもらえません。初めて心から心配してくれたのは青年貴族のアルフレードですが、アルフレードとの仲も、彼の父親や知人たちによって引きさかれてしまうのです。やっと誤解が解けた直後、ヴィオレッタの命は消え、オペラの幕が下ります。

この作品を見て、他人を差別しないことや健康の大切さを感じ取ってくださる人が一人でもいたら、ヴェルディの構想は成功だった、といえるでしょう！

■初めてオペラを見る人にとっては、少ししつこく感じるかもしれません。しかし上演する側に言わせれば、これほど心から入れこめる作品もないらしいです。今はアリアだけにしておいて、30歳過ぎたら通して見てください。

第59回／2018年2月18日

♥オペラ王子は日本が大好き

——実は中国やアメリカも

ヴェルディが「オペラ王」だとしたら、その後に続くプッチーニ（1858〜1924年）は「オペラ王子」といえそうです。ただし、血縁関係はありません。ヴェルディの作風がどちらかというと単純で粗けずりだったのに比べ、プッチーニは繊細で、とくに使われている和音の種類が多いことが特徴です。また、東洋を舞台にした作品を残したことも特筆すべきことです。

19世紀の後半は、ヨーロッパに「ジャポニスム」（日本趣味）が起こりました。日本が長い間の鎖国を解き、浮世絵や陶器、漆器などが輸出されたことがその原因です。美術の世界では「印象派」と呼ばれるマネやモネが、その影響を受けた絵を描いています。

音楽の世界でも、パリで開かれた万国博覧会で日本の楽器が紹介されたこともあり、そうしたメロディー（旋律）を自分の曲に取り入れようとした作曲家も現れました。多くはその曲のもとの意味がわからず、根拠がなく現実性のない使い方をした例もみられますが、プッチーニは、かなり意味のある使い方をしています。何よりも正確に音符を書いています。

日本を舞台にしたオペラ「蝶々夫人」では、「さくら」「お江戸日本橋」「越後獅子」「高い山から」「宮さん宮さん」「君が代」などの日本の旋律が使われています。本来は一つの旋律が続く「単旋律」で歌われるこれらの曲につけられた伴奏も、全く無理なく自然に聞こえます。そして、主役の蝶々さんと家政婦のスズキの性格と感情が、明治時代の日本人そのままに描き出されていることには、おどろきを隠せません。

蝶々さんはアメリカ人のピンカートンと結婚しますが、夫は帰国し、そこで別の女の人と結婚します。数年たってもどってきたときに、蝶々さんに子どもが生まれていたことを知ると、子どもだけを連れて行こうとします。彼女は、女性としての誇りを失わないために、子どもに二つの国の旗を持たせて目隠しをさせ、自分は自殺してしまうのです！　そんなひどい男性は罰せられて当然なのです。

■蝶々さんをあまりにかわいそうだと思ったBは、「蝶々さん海をわたる」という音楽劇で、空飛ぶじゅうたんに乗ってアメリカに行き、ピンカートンをぶって別れる、という話に変えました。そしてじゅうたん屋と結婚します！

第60回／2018年2月25日

◆指揮者って演奏家なの？

――できそうだけどなかなか……

オーケストラの前に立って、腕をふり回している指揮者。指揮者は自分では何一つ音を出していません。演奏家と呼ばれる人たちは、ピアニストやヴァイオリニストだと楽器で、歌い手だと声で音を出しています。だとすると、指揮者は演奏家と呼べるのでしょうか。

実際に音を出さないという意味では、そうではないと思えますね。とくに録音などでは、全く意味がないと考えられがちです。ところがそんなことは絶対になく、何枚かのCDを聞き比べてみれば、指揮者によって全くちがう音楽になることがわかるでしょう。

だれにでもすぐに感じられるのは、曲の速さや強弱です。また、各楽器にふりあてられたメロディー（旋律）の歌わせ方や、各パートの目立たせ方、「フェルマータ」と呼ばれる音ののばし方、そしてときには音色まで、その指揮者の特性が表れるのです。

それはなぜかというと、指揮者の動きには意味があるからです。まず、右手のふり方の速度によって演奏の速さが決まります。また、左手の上げ下げによって強弱が変わります。手つきによって、うれしいとか悲しいといった曲の表情が変わり、顔つきや体の動かし方によって音色のはげしさ、おだやかさなどの感情も表現します。こういった意味では、指揮は踊りに似ているかもしれません。しかもその踊りとは、自分の動きでお客さんを感動させるのではなく、演奏者から最高の音を引き出すためにするのです。

演奏者は音楽にたいしてそれぞれ別の考えを持っています。それを一つにまとめるのも指揮者の役割です。そのためには曲や楽器について何でも知っていて、全員を納得させなければ務まりません。また、演奏中にはすべての音を把握し、だれかがまちがったとか、出そびれたといった、音楽上の事故があったときには、すぐに修整できなければなりません。

そして、おそらく何よりも大切な条件があります。それは、人間的にも「この人ならついていける」とか、「いっしょに演奏してみたい」などと、したわれる性格を持っていることです。

■この本をまとめているとき、コロナ騒ぎで音楽家は困っています。中でも指揮者は自分だけでは演奏できないので一番大変かも。でも人格者なので、音楽に関する話や体験記を書けば、みんなは大喜びすることでしょう!

第61回／2018年3月4日

♣半丸書いて点は何の印？

――バス停に書いてあるかな

イタリア語で、駅よりも小さい停留所のことを「フェルマータ」といいます。そして、楽譜にもそう呼ばれる記号があります。

半円の中に点があって、まるでカエルの卵を二つに切ったような形をしていて、音符や休符の上についています。ちょっとかわいい感じがしますが、これはそこで音楽が止まることを示しています。曲はひとたび始まってしまえば、ふつうはどんどん進んでいくものです。それがもっともよくわかるのは、行進や踊りのための音楽で、同じ長さの音がきざまれ続けています（これを「拍」といいます）。しかし、ときには休みたくなる場合もあるでしょう。そんな場所にフェルマータの印をつければいいのです。つまり、音の停車場というわけですね。

音楽の教科書などには、よく「2～3倍のばす」などと書いてありますが、本当は「停止する」という意味なのです。「停止する」から、その場所の時間が長くなるというだけです。ことによっては、もとの長さよりも短くなってしまうことさえあります。とにかく一瞬でも止まればいいわけで、そこでのばしながら拍を手で打っている必要はないのです。その長さは演奏者にまかされています。同じ曲を弾いても人によってちがうのは、このフェルマータにたいする感じ方がそれぞれちがうから、というのも一つの原因です。止まっている時間が自由なのですから、そこで好きなこともできます。

協奏曲には独奏とオーケストラが入りますが、オーケストラの音にフェルマータがつけられている間中、独奏者が何を弾いてもいい部分があります。これは、「カデンツァ」と呼ばれています。この部分を楽しみに演奏を聞きに来る人もいるくらいです。

もう一つ、曲をくり返した後、フェルマータのつけられた場所で終わることもあります。この場合は「終止記号」と呼ばれます。しかし、1回目は見ないふりをしておきましょう。永遠に音楽が停止してしまうのですから、結果的に曲が終わってしまうことになりますね。

■𝄐（フェルマータ）の演奏には、強い意志が必要です。とくにアンサンブルの中心人物や指揮者は。ときどき指揮もするBは、いつもコンサートマスター（ヴァイオリンの一番前にいて楽団をまとめる人）にまかせてしまう、ふがいない人です。

第62回／2018年3月11日

♥ アニメの歌で育つ私たち
――大きくなっても歌っているよ

1960年代を中心とした、「高度経済成長期」と呼ばれる時代以降に生まれた多くの人の愛読書は、何よりも漫画でした。当時発表された「鉄腕アトム」（手塚治虫作）、「サイボーグ009」（石ノ森章太郎作）などは、今なお古典として読みつがれています。

そして音楽では、漫画がアニメ化されたときに作曲された主題歌が、愛唱歌となっています。谷川俊太郎さん作詞の「鉄腕アトム」は音楽会で取りあげると、熟年、老年と呼ばれる人たちが、まるで水を得た魚のように生き生きと歌いますし、「オバケのQ太郎」（藤子不二雄作）から生まれた「オバQ音頭」は、盆踊りに欠かせない曲になっています。少女向きの物語では、「アルプスの少女ハイジ」の主題歌「おしえて」は、歌のお姉さんや児童合唱団の持ち歌として欠かせません。

その後は、宮崎 駿さんひきいるスタジオジブリが制作した一連のアニメが、発表されるたびに話題になっています。久石 譲さんを代表格としたその音楽も、たちまちのうちに全国でヒットしています。中でもとくに歌われているのは「となりのトトロ」の副主題歌にあたる「さんぽ」（中川李枝子作詞）でしょう。踊りながら歌われることがありますが、そのふりのおおもとは、私がテレビで紹介した形が広まったものです！

こうしたアニメの歌が子どもたちに好まれるのは、第一にキャラクターの魅力です。音楽的にはスピード感だと思います。次に言葉がわかりやすく、しゃべりやすいこと。これは歌の曲にとっては大切なことです。昭和20年代まで作られていた唱歌が、それ以降は個性尊重という観点から作られなくなり、急速に力を失ったことや、テレビや映画の持つ伝達力が発揮されたことなどの影響も大きいでしょう。

日本のアニメのお手本となったディズニーの歌もふくめて、子どものための歌はどんどん進化しています。

一つだけ心にとめておいてほしいのは、こうした小さい曲にも、作者の権利（著作権）があるということです。

■漫画がアニメ化されたときに一番いやなのは、登場人物の顔が原作とちがうこと、その声が思っていたとおりでないことです。音楽は、最近は安っぽいものもありますが、古い作品はよく考えて、ていねいに作られていますよ。

第63回／2018年3月18日

♥ギリシア神話と音楽

――音楽の神さまも

「ギリシア神話」をご存じですか？　まだ読んだことがない人は、かならず学校の図書室にありますから、すぐ読んでください！　笑いあり、涙ありで、怪物が出てきたり、あの世に行ったり……。少女漫画からSFまで、それこそ何でもありの世界なのです。

有名な彫刻に「ミロのヴィーナス」がありますが、これは別名アフロディテともいって、美の女神です。一見やさしそうですが、決してそんなことはなく、息子のエロス（キューピッド）の恋人を徹底的にいじめぬきます。一番えらいゼウスはどんどんちがう女の人を好きになり、奥さんのヘラからいつもしかられてばかりです。アポロンは何でもできてかっこいいのに、ふられてばかりいます。このような人たちは今の世の中にもいますよね。人間はいつの時代になっても変わらない生き物なのかもしれません。

西洋の芸術は、そのどこかにギリシア神話の影を認めることができます。音楽をミュージックといいますが、この言葉は「ミューズ（ムーサ）」という9人の女神たちが、音楽をふくむ芸能をつかさどっていたところから生まれました。彼女たちはアポロンの住むパルナッソス山に住んでいます。ピアノの練習曲

を集めた「パルナッソス山への階段」（クレメンティ作曲）という本もあります。「ダイアナの泉」（ギロック作曲）という曲は、アポロンと双子の女神（アルテミスともいいます）が、狩りの合間に水浴びをする泉のことです。

神さまの名前は星にもついています。「惑星」（ホルスト作曲）という管弦楽曲は、すべてギリシアの神々の名前です。一番有名な「木星」は「ジュピター」ですが、これはゼウスのことです。なぜ二とおりの名前があるかというと、国によって呼び方がちがうからです。オペラなどの音楽劇には、たくさんの神々が出てきて、ギリシア神話の知識がなくては理解しにくいでしょう。序曲が運動会によく使われている「天国と地獄」（オッフェンバック作曲）は、オリンポス山に住む12人の神さまが出演します。

ギリシア神話は漫画にもなっていますから、手軽に読めると思いますよ。

■なんてステキなお話。まるでSFみたい！　と大感激しました。小学1年生の終わり、足の手術を受けて入院していたとき、一軒おいたとなりの林さんから本をいただいたのです。それからBの音楽はギリシア神話とともにあります。

第64回／2018年3月25日

♥エープリルフールみたいな音楽
――ほかの日にやってもいい

4月1日はエープリルフールです。人に害のないうそをついたりして、おどろかせても良いとされる日です。音楽にも古くから「冗談音楽」と呼ばれる種類の曲があります。

古いほうから記せば、オランダのオルガン奏者、スヴェーリンクには「おかしなシモン」という変奏曲があります。当時、酒場などで歌われていた流行歌をもとにして、教会で演奏された曲です。集まってきた人たちはさぞびっくりしたことでしょう。また、フランスの弦楽器奏者マラン・マレは、自分の体験をもとに「膀胱結石切開手術」という語りつきの曲を書きました。有名なハイドンには、眠ってしまったお客を起こすために、とつぜん大音響を響かせる「びっくり交響曲」があります。

モーツァルトには、その名も「音楽の冗談」（副題「村の楽師の六重奏」）という曲があり、音楽上の決まりをわざと無視して書いています。たとえば、ヴァイオリン奏者がよっぱらって音をはずしたようすを「全音音階」という、となり合う音と音の音程がすべて全音になっている変わった音階にしたり、やけになっている状況を全員がちがった調で奏で、とてもきたない音で終わったりしています。モーツァルトは

お下劣な「俺の尻をなめろ」という輪唱曲も書いていますが、これは歌詞が変なだけで曲はふつうです。

時代が新しくなってくると、古い音楽の原則をやぶろうとする動きがさかんになり、音が変わっていることはあまりおどろきではなくなりました。その代表格は「家具の音楽」という、聞いても聞かなくてもかまわないような曲を書いたサティと、その影響を受けて「4分33秒」（何も弾かない）を発表したケージでしょう。

最近では、指揮者が演奏中にたおれてしまうという指示が出されている管弦楽曲まで生まれています。でも、本当におどろくのは、その曲を初体験したときだけです。

■サティの著作権が切れた年に、ピアノ曲全集が出版されたことがあります。それまで高価で手を出せなかった人たちは飛びつきましたが、結局消えてしまいました。残念ながら、だれが聞いてもおもしろいと思う曲ではなかったのです。

第65回／2018年4月1日

♠学校の音楽の先生になるには

――けっこう大変だけどがんばって

新学期になると、新しい先生に会えるかもしれませんね。学校によっては、低学年のころは担任の先生が全教科を教えていたのに、高学年になると音楽や図工は専門の先生に習うことになるでしょう。その方たちはいつも決まった教室にいて、主みたいに見えるかもしれません。

まず、学校の先生になるためには、教員免許が必要です。これは大学で教職に関わる授業を受けて、試験に合格すればもらえます。小学校の先生は、すべての科目を教えるための勉強をするコースに入ります。算数も国語も体育も、これからは英語も教えられなければなりません。その中に音楽もあり、ピアノや歌、音楽の知識を持つことが必要です。大学の授業では、ある期間、実際に小学校で子どもたちを教える「教育実習」というのもあります。みなさんの学校にも、そうした「教育実習生」と呼ばれる若い先生が来たことがあるでしょう。

しかし、大学を出たからといってすぐに先生になれるわけではありません。公立の小学校の場合は、都道府県や政令指定都市（都道府県と同じ権限を持つ都市で、現在は全国で20の都市が指定されています）

の教育委員会が行う、採用試験に合格しなければなりません。音楽についていえば、「バイエル教則本」の中の曲をとつぜん指定されて弾いたり、唱歌を、伴奏をつけて弾きながら歌ったりします。

なお毎年、何人の先生が必要かで新しく先生になる人数が変わりますので、年によっては受かる人の割合が低くなることがあります。ただ試験に不合格でも、赤ちゃんが生まれる予定の先生の代理など、決められた期間、臨時の先生として勤められる場合もあります。私立の学校では、先生に不足が出たとき、直接試験をすることがあります。この場合は人がらや、その学校との関係が影響することもあります。

音楽専門の先生の場合は、さらに高い音楽の技術が求められます。先生の数によってはほかの教科もまかされることがありますし、授業以外のクラブ活動や事務的な仕事など、学校にいる間は——ときには自宅に帰っても——とてもいそがしいものです。何よりも定年になるまで、情熱と健康を保ち続けることが大切です。

■これは読者のみなさんが大学生になったら、もう一度読むための項です。もっともそのころには制度が変わっているかもしれませんが。一番いいのは、「先生になりたい」と言い続けていること。きっとえらい人がいろいろ教えてくれるでしょう。

第66回／2018年4月8日

♠保育園・幼稚園の先生になるには

――第二のお母さんとして

赤ちゃんが生まれて初めて自分のための音楽を聞くのは、お母さんの子守歌だといいます。しかし最近は歌う人もへっているので、はじめに聞くのは、保育園か幼稚園の先生の歌ということになるのかもしれません。この二つの施設は似ているようでちがいます。保育園は家庭の代わりに乳児や幼児のお世話をする「児童福祉施設」。幼稚園は3歳になった春から小学校入学前までの幼児のための「教育施設」です。

いずれにしても、どちらの施設でも音楽がたくさん使われていることは確かです。これは、音楽が子どもの成長に良い影響をあたえることがわかっているからです。古くから教育は「知育（勉強）」、「徳育（芸術）」、「体育（スポーツ）」に分けられていました。音楽は徳育に入ります。幼児の場合は歌うことによって言葉も覚えますし、体の動きを加えれば体育にもなりますし、作られた背景を知らせることによって、歴史や地理にも目を向けることになるでしょう。ですから、教える先生たちはいろいろなことができなくては務まりません。何しろ、幼児が生まれて初めて聞く音楽なのですから、十分な技術が必要ですね。

幼稚園の先生になるには、大学（4年間）や短期大学（2年間）の保育科（子ども科などという呼び名もあります）などで、子どもの心理や教育法などを学びます。音楽や図工、体育なども学びますが、歌やピアノはこの期間だけではなかなか上達しません。保育園や幼稚園の先生になりたいと思っている人は、なるべく早く練習を始めてください。

小さい子どもの命をあずかるのですから、とても大切で大変な仕事です。何よりも子どもが好きでないと務まりません。また、健康であることや注意深さも求められます。

20代のうちだけ勤めて、自分の子どもを持ったらやめてしまう人が多いと聞きます。ですが、わが子をあずける保護者たちは「親という、これまでとはちがった立場になって、もう一度もどってきてほしい」と願っているはずです。

■昔から、女性が求められる仕事（今は男性も）でした。Bの担任は阿部先生でしたが、あまりに歌の伴奏を変な音で弾くので、代わりに弾かせてもらい、そのまま卒園まで伴奏者としてとおしました。「三つ子の魂 百まで」ですね。

第67回／2018年4月15日

♥ラフレシアの歌を作ろう！ ——見たことがありますか

春はいろいろな種類の花が咲きますね。とくに桜の開花に合わせて、海外からも多くの観光客がおしよせます。日本では昔から「花鳥風月をめでる」といって、季節ごとの和歌などにうたわれてきました。江戸時代以前からも「さくら」「ひらいたひらいた」などが歌われ、明治以降も「花」（武島羽衣作詞、滝廉太郎作曲）から、「花は咲く」（岩井俊二作詞、菅野よう子作曲）まで、それこそ無数の曲が生まれてきました。西洋でも花の歌はたくさんあります。モーツァルトの「すみれ」は花が少年で、愛する少女にふみにじられる話です。シューベルトの「野ばら」は逆に花が少女で、少年につみ取られて死んでしまうという話です。詩はどちらもゲーテが作ったものです。

器楽のためにも花の曲が書かれることがあり、音楽に具体的な意味を持たせることが一般的となったロマン派の作品に多くみられます。シューマンの「寂しい花」と、ブルクミュラーの「優しい花」は、コスモスのようにくきの長い花がゆれているようすを表しています。サロンでピアノを弾いていたランゲは、女性の美しさを花にたとえて「花の歌」を作曲しています。マーラーやメシアンは、大がかりな交響曲の中に「花の章」をふくませています。

多くの花が芸術作品の題材となっていますが、まだだれも作曲していないのは、赤道直下に咲く、直径1・5メートルにもなるラフレシアではないでしょうか。小学生になる前にラフレシアのことを本で読んで、一度は本物を見たいと願ってきましたが、つい先日、その夢がかなったのです。インドネシアのスマトラ島に出かけ、開いても3日目にはしぼんでしまうという、その巨大な花を見ました。太陽の光もささない密林の中で、花粉目あてにむらがっているハエにたかられながらも、しかと見とどけることができました。

さて、どんな曲にしましょうか。「ラ・ファ・レ・シ・A（音名のAはラを指します）」というメロディー（旋律）はその名前から決まりました。テンポはゆっくり、曲想は不気味に、ハエの羽音を伴奏に加えましょうか……。

■本文が掲載された後に、次のような情報が寄せられました。「2019年2月に出た、SEKAI NO OWARIのアルバム『LIP』にラフレシアという曲が収録されていますよ！」。でも元祖はコッチだと自負しています！

第68回／2018年4月22日

♥ワーグナーはやりすぎの人——自分が神さまに

「偉人伝」を読んだことがありますか。エジソンとかリンカーンとか、歴史上ですばらしい業績をあげた人たちの生き方が書かれています。ですが、音楽家の名前を見ることは少なくて、ベートーヴェンくらいのものでしょうか。それはなぜかというと、専門の仕事以外は、ちょっと問題がある人が多いからです。

ドイツの作曲家リヒャルト・ワーグナー（1813～83年）の音楽上の功績は「歌劇」を「楽劇」と改め、それまでのオペラの書き方を一新させたことです。

くわしくいうと、まず声楽の伴奏にすぎなかった管弦楽のパートを充実させて用いました。それから、登場人物や物ごとに決まった音型をあてはめ、全体の統一をはかりました。さらに、曲の途中で拍手が起こり、曲が中断されてしまうのをさけるため、音楽を一幕の間続けたり、非現実感を出すために不協和音を使ったりもしました。また、神話の世界に合うように、巨大な管弦楽を用いました。これらのことを実現するためには多くのお金を必要とし、51歳でバイエルン国王、ルートヴィヒ2世の援助を受けるまでは借金を重ね、ヨーロッパ中をにげ回っていました。

彼の問題点は、売りこみのしつこさと、大げさな言動、約束のお金を払わずににげることです。自分の曲を上演させてくれればもうかるといって、無理やり公演させますが、どれもお客さんが入らず、大失敗に終わります。女性をめぐる問題もあります。就職先の歌劇場の歌手を奥さんにしていっしょにいなくなったり、指名手配中にかくまってくれたファンの奥さんを好きになったり、恩人の令嬢をその夫からうばったりしたこともあります。自分を大切にし、借金を全部払ってくれた国王を自由にあやつり、バイロイトという村に、自分の作品だけを上演する歌劇場まで造らせました。

ワーグナー作品の最大の特徴は、全作が一つの宇宙を作りあげていることです。これは台本を自分で書いたためです。その世界で彼は全能の神となり、今なお世界中で熱狂的なファンをふやし続けているのです。

■この内で、興行が不入りのために劇場にお金が入らないのはしかたないことで、話に乗るほうにも問題があると思いますが。ほかのことは人道的にいけないことです。でも男女関係は他人には何とも言えないので……。とにかく困った人です。

第69回／2018年4月29日

♥神さまは聞いているかな!?——そのつもりで

前回の東京オリンピックがあった1964年ごろまでは、音楽の歴史で重要なのは古典派のハイドンからで、その前には「音楽の父」バッハがいるという程度に認識されていました。ちょうど同じ時期に、イタリアのイ・ムジチ合奏団がヴィヴァルディの「四季」を演奏して話題になり、「バロック時代」という名前が知られるようになりました。しかし、それ以前(14~16世紀)の「ルネサンス時代」の音楽は、幼稚で聞くにたえないものと考えられていて、見向きもされなかったのです。

一方、美術ではちがっていました。レオナルド・ダ・ヴィンチやミケランジェロ、ラファエロが活動したルネサンス時代こそ、「第一の黄金期」と呼ばれていました。これはなぜでしょうか。絵や彫刻は音楽とちがって、本や写真で簡単に見ることができます。また、私たちが見慣れている写実的な表現法が確立されたのがこの時代だったからです。

そのころの音楽はまだピアノも管弦楽もなく、合唱がほとんどでした。それも今は使われていないラテン語で歌われますし、意味を調べてもその多くは神さまのことばかりで、キリスト教を知らない人にとっては、全くわかりません。しかも、メロディー（旋律）と伴奏に分かれておらず、とらえどころがない感じです。和音もときどきドミソの「ミ」を欠いたうつろな感じの音が使われています。つまり、何となく聞き慣れない音楽だったというわけです。しかし、合唱の演奏会やコンクールなどで歌われ始め、ほんの少しですが、器楽のための舞曲が残っていることも知られるようになりました。21世紀には、音楽大学にも「古楽科」という専門コースがもうけられるようになりました。

その先がけとなったのは、ジョヴァンニ・ダ・パレストリーナ（1525頃～94年）の作品です。ローマの教会に勤めていたため宗教曲が中心ですが、一般の人たちが歌う曲も作曲しています。その特徴は、人間の声だけで歌われ（ア・カペラといいます）、長い不協和音を使わないため、きわめて美しい響きを持っています。天国の音楽とはまさにこのような響きを指すのでしょう。

■無伴奏で長い曲を歌って、音がずれていかないのかというと、わりと平気です。そのころの曲は、転調がなかったこと、歌いづらい音程が少ないこと。また教会の中は残響が十分で、前の音を確かめつつ歌えるからなのです。

第70回／2018年5月6日

♥「バイエル」って人の名前だったの?!

――「ハノン」もそうだよ

昭和30年代（1955〜64年）まで、ピアノを始めたばかりの人がかならず弾いていた練習曲集があります。「バイエル」です。当時は、ほとんどの人がそれを本の名前だと思っていました。もしかすると、今もそうかもしれませんね。実はバイエルとは、フェルディナント・バイエル（1806〜63年）という人の名前なのです。

なぜそんなことになったのかというと、出版社が人の名前をそのままタイトルにしたからです。ほかに「ソナチネ」とか「ソナタ」などのタイトルがついた本もありますが、これは曲の種類の名前です。

残念なことに昭和40年代（1965〜74年）に入るころ、「バイエルではうまくならない」といわれたことがあり、多くの先生たちが使うのをやめました。しかしどんな勉強でも、1冊の教科書だけにたよっていては上達しないものです。あまりにも幼いうちは無理ですが、少し年齢が上がったら、別の曲も弾けばいいのです。現在でも、幼稚園や小学校の先生になるためには、ほぼかならず弾かなければならない教材なのです。

それほど有名なのに、この作曲者については全くといっていいほど知られていませんでした。名前から考えてドイツ系の人で、「バイエル教則本」が1850年に出版されたので、「ロマン派」に属することは想像されていました。しかし、近年、音楽学者の安田 寛さんがドイツへ行って調べたところ、1806年に中東部のクヴェアフルトで生まれたこと、母親がオルガニストだったこと、1863年にマインツで亡くなり、その墓は第一次世界大戦であとかたもなく消えてしまったこと——がわかりました。

日本では、1880年（明治13年）に、わが国初の音楽学校である音楽取調掛に赴任してきたアメリカ人のメーソンが持ってきたのが最初です。つまり、ドイツで作曲された教材がアメリカにわたり、そこから日本に広まったのですね。そのころはすでに本国のドイツでは、もう使われなくなっていたそうです。

子ども心にも強く残る、先生との連弾曲や、発表会の定番だった手を交差する曲など、名曲がそろっていますから、ぜひ弾いてみてください。

■何よりもこの教則本は、ピアノを習ったことのある人が、おたがいに思い出話をして仲良くなるために必要です。手の交差がある65番などはカッコ良く見えるので、子どもに弾かせたい親が多く、発表会で何人もその曲が続いたりします。

第71回／2018年5月13日

♥魔王はいったいだれなのか？

——みんなで話し合ってみてね

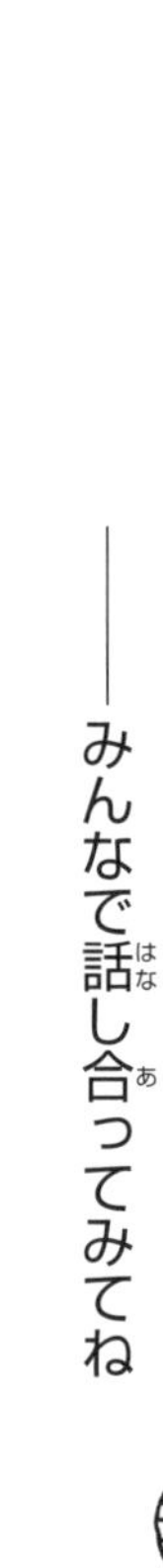

「歌曲王」と呼ばれるオーストリア出身のシューベルト（1797〜1828年）には、その名のとおり600曲を優にこえる歌の曲があります。中でも劇的で引きこまれるのは「魔王」でしょう。詩はドイツの「大詩人」ゲーテが書いたものですから当然なのですが、曲がそれを上回るすばらしさなのです！

物語は、嵐の夜、病気の男の子を父親が馬に乗せて家に帰る途中、子どもにしか見えない魔王によって、子どもが死の国へ連れ去られるという内容です。

歌い手はこの3役のほか、最初と最後には語り手を務めなければなりません。また、ピアノは単なる伴奏ではなく、あれくるう嵐や馬のひづめの音を描写します。そして右手は終始速いリズムで音を打ち続けなくてはならず、最後まで正確に弾くのはきわめて困難です。

さてこの魔王ですが、いったいどういう存在なのでしょうか。おそらく熱に浮かされた子どもの幻影でしょうが、はじめのうちは「そんなものはいない」と子どもを力づけていた父親も、しだいにこわくなってきているようすが和音から感じられます。また全体の4分の3にあたる山場で、子どもが「連れて行かれる」と、出せる限りの声を出してさけび、その後はもう歌わないので、何かの強い力が働いていることは確かです。

どのように解釈しても自由ですが、もしかするとこれは、子どもを生んですぐに亡くなった母親かもしれません。なぜなら、歌い始めは女性的な感じで子どもをあやしますし、「きれいな洋服をあげよう」とか「娘たちと踊ろう」とか言っていますので。父親だけでは子どもを育てられないと思って、魔王の姿を借りて出てきたのでしょう。その証拠に、二人が家についても母親の姿はないのです。子どもは今ごろ、天国でお母さんと幸せになっているのでしょうね。終わる直前に使われる「ナポリの6度」と呼ばれる、ほの暗い響きの和音が、病気からの解放を示しています。

音楽とは、それをどう解釈するかが問われる芸術です。いろいろと話し合ってみてください。

■何百回とこの曲の伴奏を弾いていますが、ピアノの状態が良くないと鍵盤がなかなか戻らず、音が出なくなってしまいます。小学生に曲を聞いてもらってから質問しているのですが、これまで一人だけ、Bと同じ答えの人がいました。

第72回／2018年5月20日

♥ウナギの曲ってどんな曲?!

——私はウナギがこわいです

音楽には動物を題材にした作品もあります。中でも一番多く取りあげられるのは鳥でしょう。その鳴き声がそのまま曲に使えるからです。

合唱では、ルネサンス時代の作曲家ジャヌカンの作品に、「鳥の歌」と呼ばれる、さまざまな鳥の声を各パートが歌う曲があります。ベートーヴェンの交響曲第6番「田園」の第2楽章では、小川のほとりに集まった鳥の声を木管楽器が描写します。20世紀のイギリスの作曲家ブリテンのオペラ「小さな煙突そうじ」には、お客もいっしょに歌う鳥の合唱が間奏曲として書かれています。

鳥の中でも多いのは、ニワトリでしょう。ニワトリが鳴いて夜明けを知らせることを「時を作る」といいますが、その声が印象的です。フランスの作曲家ラモーや、「交響曲の父」ハイドンは、メンドリの鳴き声を主題にしています。

声といえば、カッコウもたった二つの音で表せるので、簡単に使えます。カッコウの鳴き声をモチーフに作曲したヨナーソンの「カッコウワルツ」はよく知られています。ヨーロッパでは、気候の良い5月に鳴く鳥としてナイチンゲール（夜鳴きウグイス）もよく登場します。また、その飛ぶようすを速い速度で描く「つばめ」の曲もあります。鳴き声といえば、虫もその対象になります。西洋人は昆虫の音を音楽の対象としないらしいので、あまり使われていません。むしろ、カエルが人気です。ラヴェルのオペラ「子供と魔法」でもその声が聞こえます。

身近な動物であるイヌとネコでは、ネコのほうが多く登場します。ショパンは「猫のワルツ」、フランスのフォーレは連弾曲「お人形」で「ミアウ」「子猫（キッティ）のワルツ」を書いています。ただこの曲は、出版社が勝手につけた題ですが。ショパンには、マルチーズが自分のしっぽを目がけてグルグル回るようすを描いた「子犬のワルツ」もありますね。

めずらしいところでは、フランスのクープランが「うなぎ」をチェンバロのために作曲しています。ヌルヌルした感じがよく出ていますよ。

■ウナギを食べることができません。小さいころ、林さん（承前）の家が裕福で、夏になるとウナギ屋を呼んで庭先でさいていて、子どもたちの顔に血まみれのそれをくっつけたのです。値段が高いから食べられなくて良かった。

第73回／2018年5月27日

♥レオポンってかわいそう……

——私と同じ境遇

動物を描いた曲の中で一番おもしろく、興味深いのは、フランスの作曲家サン＝サーンス（1835～1921年）が1886年に作曲した「動物の謝肉祭」でしょう。14曲からなる組曲で、動物園にいる生き物たちの生態をユーモラスに、ときには皮肉をこめて表現しています。しかし、この曲は作曲者の生前に非公開の席で初演されただけで、二度と演奏されませんでした。これはなぜか、理由は明らかにされていません。おそらく、自身がフランス音楽を広めるための国民音楽協会の設立者だったのに、ふざけた感じの音楽で、他人の曲をかってに取り入れてしまったからではないかと思われます。

こうした引用をするのは、原曲がだれが作ったかわからない民謡ならまだいいのですが、フランス音楽の歴史に残る大作曲家たちの作品で、しかも亡くなって間もない人もおり、遺族にたいしても遠慮しておきたかったのでしょう。

その作曲家とは、オッフェンバック（「亀」に使われている）、ベルリオーズ（「象」）、ロッシーニ（「化石」）で、みんな、ひとくせありそうな人たちだったのです。しかも、「亀」と「象」は速度を異常に変え、

「化石」は「あなたの曲は化石みたいに古い」と暗示しています。演奏家にたいしても失礼な曲があります。2台のピアノで弾く「ピアニスト」の部分に「わざと下手に弾け」と楽譜に書き、「動物なみに下手だ」と評してみたり、「足の速い動物（ラバ）」ではとても合わせにくい急テンポの曲を書いたりしています。「カッコウ」は鳥の鳴き声だけを吹くクラリネットを、観客から見えない場所で演奏させます。2部のヴァイオリンが弾く「耳の長い登場人物（ロバ）」は、ほとんど曲として成立しないような音楽です。

その一方で、チェロの定番となった「白鳥」や、フルートが活躍する「鳥かご」もあるわけですが。これらすべての曲は作曲家が亡くなるやいなや、たちまちのうちに代表作となってしまいました。

でも、ヒョウの父親とライオンの母親の間に生まれた、子どもを作ることができないとされるレオポンも、ぜひ入れてほしかった！　作曲家の三善晃が1965年に「子どもの季節」で合唱曲にしていますよ。

■中学校の鑑賞教材に入っていますが、はたしてこの曲の持つ深い意味——嫌味や羨望、韜晦（むずかしい言葉が並びました）などが理解できるものでしょうか。とくにパロディは原曲をちゃんと知らないとおもしろみがないのです。

第74回／2018年6月3日

♥ベルリオーズは見習わないで!!

——すぐにお巡りさんに

フランスはすぐれた文化国家なのに、なぜか著名な作曲家を生み出しませんでした。とくに古典派時代（バッハの死後からベートーヴェンまで）は、そのはっきりした音楽が、やさしくやわらかなフランス語と合わなかったためでしょうか。音楽を作り出すよりは、他国の音楽を鑑賞する地域だったのです。

そこにとつぜん現れたのが、エクトール・ベルリオーズ（１８０３～69年）でした。彼は音楽家より、むしろ小説家に向いていたのではないかと思われます。というのも、本来は物語を表現するには不向きな器楽の曲にも、複雑な物語をおりこみ、言葉を用いないで音だけで描写しようとしたのです。

その代表作が「幻想交響曲」（１８３０年作曲）です。交響曲ですから、本来は物語を持たず、純粋に音だけを楽しむための作品であるべきです。少なくともハイドンやモーツァルトはそうでした。ベートーヴェンにはただ1曲「第6番（田園）」という先例はあるものの、それまではだれも書いたことがない、劇のような物語を取りこんだのです。

副題に「ある芸術家の生涯のエピソード」とあるように、これは作曲家自身の体験でした。１８２７年にイギリスからフランスのパリにやってきた俳優、ハリエット・スミッソンが大好きになり、何度も劇場に押しかけました。しかしそれだけでなく、ピストルを持って彼女を追い回したのです！　みなさんは決して、こんなことをしてはいけませんよ。好きな人からきらわれたら、次の人を好きになればいいのですから。

さて、ベルリオーズはその思い出をもとに、全部で5楽章の大作をまとめました。恋人を表すメロディーを「固定楽想」と呼び、それが変化しながら全曲に登場します。

恐ろしいのは終わりの2楽章で、彼は夢の中で彼女を殺害し、処刑の場面では、ギロチンや切られた首の転がる音、人びとのあざけりの声までが描かれます。続いてあの世では、地獄の魔女となった恋人が出現します。がいこつの踊りはコル・レーニョ（弦を弓でたたく）が使われています。独創的な考えは認めるとしても、ベルリオーズは悪い人ですね。

■本当に、ほんの少しまちがったら警察に連れて行かれても文句は言えないような人です。女性関係は芸のこやしになるなんて、とんでもない！　ところで、奥さんになったハリエットとは、すぐ離婚しています。もったいない！

第75回／2018年6月10日

♣ワルツは大人の踊り

――踊れない人もいますが

大人が踊る社交的な舞曲の中で、世界中で一番親しまれているのは、ワルツだと考えてかまわないでしょう。日本のダンス教室でも、まずこの踊り方から教えることが多いようです。

ワルツが始まったのは19世紀の初頭であることは確かですが、だれが初めてこの題名で曲を書いたのかは定かではありません。しかし、すでに1815年にはシューベルトが「12のワルツ」を書いているので、ロマン派の初期にはもうあったわけです。

同じころ、ウェーバーも「舞踏への勧誘」（1819年作曲）をワルツのリズムで書いています。これは、舞踏会での男女のかけ引きを描いたものです。ただし、タイトルは「ロンド」で、ワルツとは書かれていません。この二人の作曲家が活動していたのは、オーストリアのウィーンですが、それよりも前からオーストリアやドイツでは、ワルツに似たような舞曲が踊られていました。

その特徴は3拍子で、「ズン、チャッ、チャッ」というリズムを持ち、男女が一組になって手をつないで回るというものです。「レントラー」と呼ばれていて、村のお祭りなどで踊られていました。さらにそのもとになったのは、バロック時代に宮廷で踊られていた「メヌエット」ではないかと考えられています。
ただし、メヌエットは優雅で男女は距離をおいて踊るのにたいし、レントラーは素朴な味わいに富んでいて、ときに腕をからませます。ワルツは体を密着させて踊るので、つつしみがないとか、回りすぎて腸の一部が強くねじれてしまう、腸ねん転という病気になるなどといわれ、何回も禁止令が出されたほどでした。

現在に続くワルツの流行は、「ワルツの父」と呼ばれるヨハン・シュトラウス1世から始まり、その子の2世は「ワルツ王」と呼ばれました。

ポーランドのショパンはピアノのために、ロシアのチャイコフスキーはバレエの中で、それぞれたくさんのワルツを作曲しています。

腸ねん転にはなりませんから、大人になったら踊ってみてください。

■日本人の感覚としては、フォークダンスの一種であるレントラーまでは許せても、向き合って抱き合うワルツは、何となく抵抗が……。「メリー・ウィドウ」では、長いこと好きだった二人が、踊っている内に婚約するんですよ。

第76回／2018年6月17日

♣けっこうしんどいメヌエット——翌日はマッサージに

古典派（ベートーヴェンの時代）までに一番多く作曲されていた踊りの曲といえば、「メヌエット」です。実際に踊るための音楽以外に、ソナタや交響曲、弦楽四重奏などの室内楽曲の第3楽章をメヌエットとして書くという決まりがあったからです。

それはなぜでしょうか。これらの何楽章にも分かれている曲はそれ以前、バロック時代には「組曲」と呼ばれ、宮廷で踊るための舞曲を集めたものだったのです。

これらの舞曲は、速さと国籍が異なる4曲——「アルマンド」（中くらいの速さ、ドイツ）、「クーラント」（速い、フランス）、「サラバンド」（遅い、イタリアまたはスペイン）、「ジーグ」（急速、イギリス）——と続きます。その終曲の一つ前に間奏曲として、その日の重要なお客さんに敬意を表して、その人の国の舞曲を加えたのでした。どうやら、フランスからのお客さんが多かったとみえて、フランスの宮廷舞曲であるメヌエット（中くらいの速さ）が多く取り入れられました。

メヌエットはもともと、フランスの田園地帯の踊りでしたが、1650年ごろから、国王ルイ14世が気に入って宮廷でも踊られるようになったものです。ですから、本来はモーツァルトの「アイネ・クライネ・ナハトムジーク」の第3楽章のように、ワイルドな感じの曲想でしたが、後にはビゼーの「アルルの女」で聞かれるように、とても上品な踊りの曲に変化しました。

しかし、実際に踊るのは、そんなに簡単なことではありません。はじめから終わりまで、ずっとつま先で立ってかかとをつけずに、まるで風を受けて進む船のように、床の上を進んで行くのです。王さまの前でかかとを土につけるのは、礼儀正しくないという考えからなのでしょう。

女性は長いスカートをはいているので、足は外から見えませんが、男性ははっきりと見えてしまいます。長いメヌエットだとふくらはぎがつって、優雅どころではなくなってしまいますね。

■「題名のない音楽会」で、古典舞踊を取りあげたことがあり、Bは踊り手として参加しました。が、足がつって踊るどころではありませんでした。大変なのにちっともそう見えないという、真に面倒な踊りなのです……。

第77回／2018年6月24日

◆ピアノの置き方・開け方——気をつけて

小学校で音楽会を開くためにうかがうと、会場の体育館に、すでにピアノが準備されていることがあります。ありがたいことですが、困ったこともあるのです。

まず、ピアノの向きが反対という場合があります。「どっち向きでも同じでは」と思うでしょう。でも、高い音を出す鍵盤が、客席側に来るのが本当なのです。グランドピアノにはふたがあり、これを上げると反響板になるように作られていて、反対向きだと音が客席に届かないのです。

次にそのふたを棒で止めるのに、固定するための穴が二つあります。手前はふたを小さく開ける場合で、伴奏など音を小さくするときには、短い棒を手前の穴に入れます。長い棒は奥の穴に入れるのが本当ですが、これがまちがえて入っている場合は、ほんの少しゆれただけで棒がはずれ、ふたが落ちてしまうのです。これは危険なので直そうとすると、かなり高い位置になっているので、大人が手をのばしても届かないくらいなのです。さらにそのふたは、二重におれるように作られているので、これをおらなかった場合は、演奏者の頭上に落ちてきて、もっと危険なことになります。

やっとのことで棒を通常の位置にもどしたとしても、次に脚の問題があります。脚の下には車輪がついていて動かせるようになっていますが、使わないときはかってに動かないように、木やゴムの皿で止めてあります。これは動かないようにするのと同時に、音の振動を止めて、床下に伝わらないようにしている装置なので、つけたまま弾くと、音が十分に出ないことになります。近ごろでは耐震のために金属製のげたをはかせている学校もありますが、これはかならず取りはずすものです。

そして、演奏者の気持ちとしては、舞台の上ではなく、客席のみなさんと同じ高さの床の上で弾きたいのです。舞台の方が高いので、えらそうに見えますし、空気がちがってしまうので、気持ちが伝わりません。歌やヴァイオリンならおりていけますが、ピアノはそういうわけにはいかないのです。

なるべくみなさんの近くで……と、先生にお願いしておいてくださいね。

■ここに書いたのはまだいいほうで、昭和時代には、体育館のグランドピアノの中に鉛筆が入っていたり、弦が切れて揺れていたり、という場合もありました。大正時代には、脚を取り去って、じかに床に置いてあったそうです。

第78回／2018年7月1日

♠トイレは1時間ぐらいがまんして
——本当に行きたいの？

小学校に直接うかがって開く音楽会で一番困るのは、演奏中にトイレに行く人が多いことです。

先日の大阪での本番中は50分間で、低学年（1～3年生）400人のうち、なんと170人がトイレに行ったのです！　5月だったのでとくに寒くもなく、病気でもなかったようです。

考えられるのは、演奏が始まる前に先生が「トイレに行きたくなった人は、先生に言ってからにしましょう」とおっしゃったことです。おそらく、これまでに体験したことがない「音楽を聞く」という行為に緊張したのでしょう。そして、一人が行くと、次から次へと……。これがホールを借りて行っている音楽会だと、なぜかほとんど行きません。つまり、トイレの場所をよく知っているから行ってしまうのでしょうね。また、上級生になるとあまり行く人がいなかったり、毎年、鑑賞教室を開いている地域では、行く人は少なかったりします。体が小さいうちはあまりがまんができないのかもしれません。

しかし、だいたいにおいて、慣れや気分の問題もありそうです。つまり、先生の言葉がトイレに行きたくなる気持ちを引き起こし、友だちが行くとつられてしまうのではないでしょうか。

人間の心理としてはふつうのことだと思いますが、演奏する側にとってはとても困るのです。歌やヴァイオリン、フルートなどはお客さんを見て演奏します。ピアノも横目で感じながら弾いています。そんな中でお客さんがとつぜん飛び上がって走って行くと、やはりおどろきます。この間は「子犬のワルツ」を弾いているとき、舞台の右側にいた少女が飛び上がったので、おどろいて、むずかしい部分をまちがえてしまいました……。歌う人だと歌詞を忘れてしまうこともあります。写真をとる先生の動きも気になります。肖像権の問題というより、フラフラとした移動やフラッシュの光が困るのです。

小学校の授業時間の標準の1単位は45分とされています。そのくらいはトイレをがまんできると考えてのことでしょう。これからは、休み時間に先にすませておいてくださいね！

■お客さんは神さまですから、当方から文句は言えません。でも演奏者はトイレに行きたくなってもがまんします。長い曲のとき、オーケストラの団員が、吹きながら便をもらしてしまったことがあります。それに比べれば1時間ぐらい！

第79回／2018年7月8日

♥なぜ作曲をやめちゃったの？

――若いのに……

ロッシーニとシベリウスという二人の作曲家は、国籍も年代も全くちがいます。しかし、二人には共通点があります。どちらも長い生涯の途中で、作曲をやめてしまいました。どちらも絶頂期にあったというのに、これはどうしたことでしょうか。

衰退していたイタリアオペラを復活させた「中興の祖」と呼ばれるロッシーニ（1792～1868年）は、若いころからいやみな自信家でした。先生から書くように言われた形式と全くちがった曲を書いて提出したり、先生が作ったオペラと同じ原作を無断で使って妨害されたことがあります。また、モーツァルトよりも自分のほうが早く曲を書けるなどと自慢したりしています。それがたたったのか、37歳で「ウィリアム・テル」を発表したのを最後に、公には作曲の筆を止めてしまいました。その後はパリの郊外に住み、ひたすら料理の研究に打ちこみました。昔の友人たちに自分が作った料理を食べさせることを楽しみにすごしていたのです。考え出したレシピ（料理法）は、それまでに書いた曲の6倍はあるのです。

一方、「フィンランド近代音楽の父」と呼ばれるシベリウス（1865～1957年）は、「フィンラン

ディア」など郷土の歴史や伝説にもとづいた大作を次々と発表していたのに、59歳のときに、とつぜん筆をおってしまいました。それ以降は音楽界の重鎮（重んじられ中心となる人）として、音楽祭などの委員長を務めるだけになってしまいました。

二人とも自分の力の限界を知っていたのでしょう。傑作を書き、世間の評価が高まった瞬間に活動を停止してしまえば、その名は永久に残ると考えたのです。

世の中には、年とともにしだいに作品の勢いがなくなる作曲家の例が多くみられます。実は、ロッシーニはその後もピアノ曲や歌曲を細々と書いていたことが知られていますが、それらは取るにたらないものとみなされています。シベリウスは短い曲すら書きませんでした。世界各国から電波にのって聞こえてくる「フィンランディア」をラジオで聞くことだけを楽しみとして、余生をおくっていたのです。

■Bも、50代のころに作曲を半ばやめていました。母の介護に時間をとられたということにしていますが、その実、自分の能力に〝？〟を感じたからです（文中のシベリウスは、1930年までは少しだけ作曲していたようです）。

第80回／2018年7月15日

♣

一家に1冊『ソナチネ・アルバム』

――値段もわりと安いです

ピアノを習っていたという人に聞くと、「小学生のころ、ソナチネまではやった」という人が多いのです。みなさんも、もう弾いているかもしれませんね。もうご存じでしょうが、「ソナチネ」は曲の種類です。

ピアノの教則本には、『バイエル』とか『ツェルニー』がありますが、これらはその曲を書いた人の名前です。正確に何楽章かに分かれている曲の、第1楽章がソナタ形式で作曲されているものを「ソナタ」と呼び、「ソナチネ」とはその小型版なのです。古典派の作曲家によって多く書かれ、ピアノを習い始めた人が、やや大がかりな曲に取り組むのに最適な教材です。

ただ、その時代の大作曲家はあまりソナチネは書いておらず、モーツァルトにわずかに1曲、ベートーヴェンには作曲番号なし（本人が重要と思っていない）の曲が2曲あるだけです。ピアノが多くの家庭に置かれるようになったロマン派の時代に入って、多く書かれるようになりました。

私たちが弾くのは『ソナチネ・アルバム 第1巻』という曲集にふくまれている曲ですが、この本を編集したのはケーラーという人です。ケーラーは子ども向きの曲を残しています。

彼の方針は、1冊あれば家庭で音楽を楽しめる本を作るということでした。全30曲で作られています。12番までは、クーラウとクレメンティという、当時としてはめずらしい器楽曲専門の作曲家が、生徒のために書いたソナチネがのっています。続いて、古典派の大作曲家（ハイドンをふくむ3人）のやさしいソナタが4曲。ここで初めてベートーヴェンの曲を弾く人も多いことでしょう。その後、ボヘミア（現在のチェコの西部・中部地方）の作曲家デュセックの曲があり、バロック時代の「音楽の父」バッハの前奏曲や、ハイドンやベートーヴェンの交響曲の一部を編曲したものがのっています。続いて、モーツァルトのロンド、ケーラーと同時代のシューベルト、ウェーバー、メンデルスゾーンの小品までのっていて、ピアノをかこんで家族で楽しむのに、まさにうってつけの本が生まれたのです。

■ケーラーが編集した人だということを知らない人は多いようです。実は楽譜は出版されてから、みなさんの手にわたるまでに何人もの手が加わります。古い作品は、指づかいやペダルも第三者が書くことが多いです（校訂者といいます）。

第81回／2018年7月22日

♥夏を過ごすさまざまな曲——冬に聞くとなつかしい

暑い毎日が続きます。夏に聞く音楽は、その暑さを表現する曲と、少しでもすずしくなりたいという思いをかなえる曲とがあります。

前者の代表は、何といってもヴィヴァルディ（1678〜1741年）の「四季」から「夏」の章です。その第1楽章は、うだるような暑さに人びとや家畜、植物までも精気を失ったようすが、短調でやるせなく表されています。楽譜には「暑さにつかれた感じで弾く」と記されています。第2楽章ではハエの羽音が付点のリズムで描かれ、第3楽章は夏の嵐の激しさです。

この曲にインスピレーションを受けて書かれたと思われる南アメリカ・アルゼンチンの作曲家ピアソラ（1921〜92年）の「ブエノスアイレスの四季」は、逆に冬がそんな感じの曲になっています。南半球は、四季が北半球と逆転しているからですね。

夏の題がつく名曲に、メンデルスゾーンの「真夏の夜の夢」があります。これはシェイクスピアの劇につけた音楽ですが、この訳語は正しくなく、夏至（6月下旬）の日の物語です。古代ケルト（インド・

ヨーロッパ語系のヨーロッパ先住民族）の伝説では、この日に妖精と人間の世界の通行が可能になり、薬草の効力が1年でもっとも強くなると信じられていました。中でも有名な「結婚行進曲」は、二つの世界で同時に式があげられる場面の音楽です。

すずしい感じの曲は、フランスの作曲家、ボザ（1905〜91年）に「夏山の一日」という4本のフルートのための作品があります。曲の冒頭は何ともさわやかです。グリーグの「ペール・ギュント」にふくまれる「朝の気分」も季節ははっきりしませんが、夏の朝だと感じられます。そのほか、多くの作曲家が書く「牧歌」（パストラール）も、夏の情景を描いていると考えられています。

日本には、昭和の二大歌曲作曲家、平井康三郎と中田喜直に、愛唱される夏の歌があります。前者は「びいでびいで」「夏の宵月」などで、北原白秋が作詞しました。後者の「夏の思い出」は江間章子が歌詞を作りました。ぜひ歌ってみてください。

■本文に出てくる作曲家の中で、平井康三郎はその曲が小笠原諸島の風物をうたっているからという理由で、人びとを戦争にかり立てたと言われて、東京音楽学校の先生を辞めさせられたのです。今となっては言いがかりとしか思えませんが。

第82回／2018年7月29日

どんどんまねしよう——一生そうしていてもいい

他人のまねをすることは、一般にあまり良くないことだと考えられています。だれかが目立つ文房具を使っているとします。それがほしくて同じものを買ってもらって使っていたら、「まねした」と言われるかもしれません。実はそれほどたいしたことではないのですが、気分は良くありませんね。

しかし、伝統芸能の世界では、先生のやり方をまねることは大切なことです。少し前までは先生の家に住みこんで、その生活ぶりまでをまねることが、上達への最上の道だと言われていました。この制度は「内弟子」と呼ばれます。

音楽も伝統的な芸能の一つですから、まず先生の演奏をまねるところから修業が始まります。

ピアノやヴァイオリンなどは、楽譜が読めない幼いころは、先生の手を見て同じように弾くことから始めます。声楽は先生の声の出し方を近くで見て、その体の使い方をまね、その音色に近づけるように工夫します。ですから、習いはじめは同性の先生のほうがうまくいきやすいようです。とくに楽譜には完全に書き表せない間合いの取り方や速度、強弱などは、先生の手法（やり方）を守ります。同じ先生の弟子を

「門下」と呼び、何代も続いた場合、「流派」と呼ばれるグループが生まれます。

しかし、音楽には個性も必要です。どんなに先生のやり方と同じようにしようと思っても、先生とはちがう人間ですから、おのずと異なる部分が出てくるものです。「まねばかりしているのに、そんなことはありえない」と思われがちですが、決してそんなことはありません。そのちがいは「個性」と呼ばれ、それが表れた段階で、独り立ちした芸術家と認められるのです。

師弟関係を持たないポピュラー音楽の世界でも、先にデビューした人の録音を聞いてそのアドリブ（自由な演奏法）をまねしたり、先輩格の仲間に教わったりして向上しようとします。しかし、クラシックよりも個性が表れるのは、やや早いようです。

生活の上でも、すばらしいと思う人のやり方をどんどんまねて、自分を向上させてくださいね。

■はっきり言って、音楽の世界ではもう新しい作曲法は出ません。これまでの書き方に従うほかはないのです。Bはこのことに早くから気づき、一生、先輩方の作風を少しずついただくことにしました。これも一つの生き方です。

第83回／2018年8月5日

♥何が何でも戦争はダメ!!
——音楽にも大きな影を

1939年から45年にかけて、日本は戦争をしていました。第二次世界大戦です。日本だけでなく、世界のほとんどの国が二つの勢力に分かれて戦っていたのです。日本では、B29というアメリカの爆撃機がやってきて爆弾を落とし、東京も一面の焼け野原になりました。男性は兵隊として外国へ行き、その多くが命を落としました。女性と子どもは農村地帯や山の中に疎開し、飢えに苦しんでいました。

音楽も影響を受けました。戦っている相手の国の曲、たとえばジャズなどは「敵性音楽」と呼ばれ、演奏できなくなりました。学校の音楽の時間に、ドレミで歌うことも禁止されてしまいました。しかし、そんな中でも新しい音楽が作られていました。ラジオで発表される国民歌謡、教科書にのせる文部省唱歌、そして軍歌です。

国民歌謡は、音楽、とくに歌によって人びとの気持ちを自分の国に向けさせて、一致団結させようと意図して作られたものです。中でも叙情的な内容を持つ「椰子の実」（島崎藤村作詞、大中寅二作曲）は、今でも歌われています。唱歌にも勇ましい歌詞や曲想の作品がふえました。「うみ」「おうま」はどちらも

1941年に発表されましたが、戦争の影響を感じ取ることができます。
軍歌は兵隊さんたちの気持ちを高めるために作られたものでした。年配の人たちの愛唱歌となっている「同期の桜」（西條八十原詞、大村能章作曲）などがありますが、「悲惨な戦争があったという事実を忘れない」という意味で、歌ったり、聞いたりするのが良いと思います。みなさんも、戦争は絶対に許されないことだと、いつも自分に言い聞かせておきましょう。

現在も東南アジアを旅行すると、日本語を話す人や唱歌を歌って聞かせてくれる人に出会うことがあります。私はこの1年のうちに、台湾とインドネシアのスマトラ島でそれを体験しました。90歳近い男性でしたが、「兵隊さんが教えてくれた」と言っていました。わが父もビルマ（今のミャンマー）で捕虜になって3年暮らしていたので、そういう歌を教えていたのでしょうか。

■戦争が音楽を停滞させる――とはいえ、本文に書いた程度の活動は残っていました。しかし疫病はそれを上回ります。何しろ他人と会ってはいけないのですから。音楽会の開きようがありません。万能薬の開発を祈っています。

第84回／2018年8月12日

♥名前には意味がある！

――あなたの名前はどんな？

私の名字は「青島」なので、明治時代のはじめに名づけられたとき、青い島の見える場所に住んでいたのでしょう。みなさんの中で、「佐藤」「伊藤」「加藤」のように名字に「藤」の字がつく人は、もとを正せば「大化の改新」（645年から始まった改革）のときの功労者、藤原鎌足の子孫かもしれませんよ。

外国人の名前にも意味があります。ピアノを習って少したつと、『ブルクミュラー25番練習曲』を弾きます。これはヨハン・フリードリヒ・フランツ・ブルクミュラー（1806～74年）というロマン派の作曲家の名前です。本の名前だと思っていた人はこの際、訂正しておいてくださいね。

この人は、ドイツ・レーゲンスブルク生まれのドイツ人です。ドイツ語で「ブルク」は山にある城、「ミュラー」は水車のことですから、祖先は城にある水車小屋の番人、あるいは、水車では小麦を粉にするので、その職人だったのかもしれません。もしかしたら小麦粉で作るパン屋さんだった可能性もあります。後にフランスのパリに出てピアニストになりましたが、演奏家というよりも、むしろ作曲家として有名です。サロンで出会った貴婦人の家庭教師を務めました。そこで書いたのが、先に紹介した『ブルクミュラー25番練習曲』なのです。その中には、当時の裕福な家庭の女性や子どもが、どのように教養を身につけたらいいかが示されています。1曲目の「素直な心」や終曲の「貴婦人の乗馬」からしてそうですね。見たことのない地域（「スティリアの女性」）や、昔の話（「バラード」）もふくまれています。

もっともすばらしいのは、「別れ」「慰め」と続く2曲。前者は、去っていく男性を駅に追ってきた女性との、恋のもつれを表現しています。後者は、悲しむ女性と女性を愛する新しい男性の心のつながりを、まるで映画のように伝えてくれます。

作者がそう記しているわけではありません。東京芸術大学に招かれ、パリから来日したばかりの音楽家ピュイグ・ロジェ先生からこの曲の意味をたずねられた際、当時先生になりたての私がそう答えたら、「そのとおり。想像力がたくましい」とほめてくださいました。

■本名は「青嶋」です。横書きにすると「アオヤマドリ」と読まれたりします。ロジェ先生は「アンリエット・ピュイグ・ロジェ・マリー」が正式名で、ピュイグは結婚後の姓、マリーは洗礼名（クリスチャンネーム）とのこと。

第85回／2018年8月19日

♠スポーツに音楽は必要かしら？

――そうであってほしいです

体育と音楽――。一見、何の関係もないように思えますね。学校の授業でも、体育は好きだけど音楽はきらいという人もいます。確かにダンスやバトントワリングをのぞけば、運動といっしょに演奏することはあまりありませんね。しかし、音楽を必要とする体育系の活動は実は、たくさんあるのです。

まず、運動会のときは華やかで、ときに勇ましい感じの音楽を流しますが、これは競技をする人たちの気分を高め、観客をあおり立てて、声援を送りやすくするためです。シーンとしていると気疲れしてしまうでしょう。つまり、BGM（バックグラウンド・ミュージック、背景音楽）として使うわけです。

次に体の動きの美しさを競う運動や体操、シンクロナイズドスイミング（現アーティスティックスイミング）などですが、これらはその演技に合わせた曲想の音楽が用いられます。とくに、新体操や床運動などは踊りの動きに近いものですね。ある選手のために、特別に作曲されることさえあります。ボディビルディングというきたえた体の美しさを見せる競技も、制限時間に合った曲が選ばれます。あらかじめ音楽を決めておけば、タイムオーバーする心配はありません。

21世紀になって起こった、もっとも重要なつながりはフィギュアスケートです。コーチのすすめる曲を用い、その曲想に合わせた動きを考えます。録音された曲に合わせて練習するため、逆にスケート選手の動きに合わせて実際に演奏しようとすると、演奏者の自由にならないことが多くあります。

オリンピックでは、人間の声を使った作品は生々しいので、2013年までは器楽のみに限定するという決まりがありました。そのためオペラのアリアなどは、楽器だけに編曲して使われていたのです。

でも私たちが一番よく知っているのは、ラジオ体操の音楽でしょう。現在使われている「第1」は服部正、「第2」は團伊玖磨の作曲で、ピアノのために書かれています。楽譜が出版されていますから、ピアノを習っている人は弾いてみてください。そんなにむずかしくないですよ。

■とは言うものの、スポーツが流行ると音楽家は仕事がへります。2020年は東京オリンピックが開かれるはずだったので、期間中、演奏会などの本番はありませんでした。翌年に延期になったとすると、また収入がなくなってしまうのでしょうね。

第86回／2018年8月26日

♥ウェーバーは流行に敏感
——おしゃれな人だったみたい

「秋の夜半」という合唱曲をご存じですか？　すみ切った秋の夜空に月が出て、雁がわたるという内容の歌詞がついています。「何となく賛美歌みたい」と思ったあなたはあたりです！　日本では唱歌として明治時代に発表されましたが、賛美歌としても歌われています。

ところが本当はこの曲、ドイツの作曲家、ウェーバー（1786〜1826年）の代表作、オペラ「魔弾の射手」（1821年初演）の序曲に入っている16小節の部分なのです。

原曲はホルンの合奏です。ホルンはもともとが、獲物の場所を知らせるための角笛ですから、角笛を使う狩人がいることを意味します。それもそのはずで、これはドイツの森で生活している狩人の物語なのです。ほかにも、そのホルンに導かれる「狩人の合唱」という男声合唱も入っています。一番の山場は「狼谷の場」と呼ばれる、悪魔が出てくる場面です。ここでは妖精や妖怪たちの笑い声や、とつぜんの不思議な出来事が、当時としては考えられないほどの新しい和音と音響で表されています。聞く人はさぞおどろいたことでしょう。

ウェーバーは小さいころから父親が経営するオペラ団について旅行していたので、このような技術を自然に身につけたのだと思われます。もしも彼がずっとオーストリアのウィーンに住んでいたら、最高の力を誇っていたベートーヴェンの影響をまともに受け、こうした新しい音楽は生み出せなかったと思われます。さらに彼は、まだ生まれたての楽器だったクラリネットをオーケストラの中で活躍させ、管楽器全体の地位を向上させました。

一般には、ベートーヴェンの死（1827年）で「古典派」が終わり、次の「ロマン派」へ移るといわれていますが、その1年前に世を去ったウェーバーは、「ロマン派第1号の作曲家」としての栄誉をあたえられています。

彼は、モーツァルトの奥さんの親せきにあたります。モーツァルトの家系は絶えた、といわれていますが、ウェーバーのほうをたどると、案外、現代まで続いているかもしれませんね。

■この人は見るからに上品で、女性的な顔をしていますが、それもそのはず、小さいころは女の子として育てられたそうです（健康になるという言い伝え）。実はBも、幼くして死んだ姉の服を着せられていました。

第87回／2018年9月2日

♥魔法にかかりに劇場へ

――夏はすずしく、冬はあたたか

魔法の国へ行ってみたいと思ったことはありませんか。そんなときは劇場に行ってみましょう。音楽には魔法と関係のある曲が多く、とくにオペラやバレエはそのほとんどがそうです。舞台はもともと想像によって作りあげられた空間ですから、現実ではありえないことが起きたほうがおもしろいのです。

中でもおすすめしたいのは、「子供と魔法」(1925年初演)という作品です。作曲したのはラヴェル(1875~1937年)で、20世紀前半の重要なフランスの作曲家です。フランスでは昔から「オペラ・バレ」と呼ばれる、歌と踊りがいっしょになった舞台作品がさかんでした。ただ、この作品は歌が大変むずかしいので、歌う人と踊る人は別なのがふつうです。

物語は、子どもが宿題をやろうとしないので、お母さんが罰として部屋に閉じこめるところから始まります。子どもはうっぷんを晴らそうとし、部屋の中の道具をこわしたり、やぶったりします。するとその道具が化けて子どもをいじめる……という筋書きです。――椅子は引きずる音を出し、時計は時刻を告げる音を「ディン・ディン」と歌うことで表します。ポットと茶わんは、イギリスと中国風の音楽で表現さ

れ、なんと日本人の名前も出てきます。火は声を楽器のようにあつかい、壁紙の羊飼いは田舎風に表されます。絵本のお姫さまはフルート伴奏、算数の本はでたらめな数式で表現され、それぞれが子どもにうらみを言ったり、こわがらせたりします。鳴き声の二重唱で表される、しっぽを引っ張られた2匹のネコが庭にさそうと、木や動物たちも傷つけられたり、つかまえられたりしたときの痛みをうったえます。「ヘロンヘロン」と鳴くカエルや超高音の夜鳴きウグイス、なぜかアメリカ風ワルツのトンボ、リスなどが子どもにおそいかかろうとしたとき、リスが足にけがをします。子どもはその傷の手あてをして気を失います。ここで全員が子どもを許し、お母さんを呼んだところで幕が下ります。

題名の本当の意味は「子供と魔法をかけられた者たち」ですから、もしかしたらお母さんが魔法を使ったのかもしれませんね。曲想も出演者もどんどん変わって、あきるひまもないので、ぜひごらんください。

■ドビュッシーがきらい（Bも）という人は、同じフランスの作曲家でもラヴェルの曲を聞いてみると、フランスぎらいがなおるかも。まず聞くべき曲は「ボレロ」です。次に「子供と魔法」……、あれれ、2曲だけでいいみたいです。

第88回／2018年9月9日

♥子守歌は最初の音楽――いつまでも安心できる

私たちが生まれて初めて聞く音楽といったら、子守歌でしょう。「うちのお母さんはそんな歌は歌ってくれなかった」という人でも、赤ちゃんをあやすときの鼻歌をちゃんと聞いているものです。

子守歌は民謡として始まりました。母親だけでなく、母親のかわりに子守をしていた5歳くらいの子どもも歌っていました。

「関東地方（江戸）の子守歌」として知られている「ねんねんころりよ　おころりよ――」と始まる旋律には、楽しい感じと悲しい感じの二とおりがあります。これは子守をしている側の気持ちが表されているのです。子守歌は古い記憶と結びついていることが多いため、なつかしく感じますし、その国の民族音楽が次の世代へ続く大きな原動力となっています。

歌ですから、言葉のイントネーションどおりの旋律で、とても自然です。速さやリズムは小さい子どもを眠らせるのにふさわしく、ゆるやかで、単純で同じ音型がくり返されます。これが眠りをさそうのです。

西洋ではゆりかごやハンモックを使うので、それを往復させるのにゆっくりとした2拍子が使われます。

その1拍が、3個の音符からできている6拍子の例がとくに多いですが、それを半分にした3拍子もありえます。「モーツァルトの子守歌」（実は、外科医のベルンハルト・フリース作曲）や「ブラームスの子守歌」、「コサックの子守歌」などはみな、そうです。「シューベルトの子守歌」や「眠りの精」（ブラームス作曲）は4拍子ではありますが、伴奏には同じ音型の反復があります。

「眠りの精」とは、ドイツで信じられている背が低い老人です。大きな袋を持ち、眠らない子どもの目に、その中に入っている砂をかけるのです。日本では砂かけばばあが知られていますが……。眠りの精は、オペラ「ヘンゼルとグレーテル」（フンパーディンク作曲）に出てきます。

ドイツに行き、夜になって食堂から早く帰ろうとしたら、「砂の精（サンドマンヒエン）が来るのか」と言われたことがあります。この話を知らなければチンプンカンプンだったでしょうね。

■母は勤めていたので、祖母が子守歌を歌ってくれましたが、息を吸うたびにちがった調で歌うという特技を持っていたために、Bの作る曲は、とつぜん遠隔調（無関係な音階）に転調するという特徴を示すようになってしまいました。

第89回／2018年9月16日

♠時をへだてて……――もしかして私のことを

宝物を持っていますか？　誕生日にもらったぬいぐるみだったり、夏休みに採集しためずらしい昆虫の標本だったりするのでしょうか。でも私は、人間にとって一番大切な宝物とは友だちだと思っています。小学生のみなさんは、まずクラスの人たちが友だちですね。塾や習い事でいっしょになる友だちもいます。幼稚園や保育園のころの仲間とは、連絡先を教え合ったりはしていないかもしれませんが、気の合う友だちを一人でも多く作っておくことは、これから先の長い人生において、何よりも大切なことだと思います。

大きくなって結婚する相手も、友だちとの関係がもっとも深くなった形といえるでしょう。残念ながら別れてしまう夫婦関係もありますが、その場合はもとの友だちの関係にもどれるといいですよね。

音楽やスポーツなどでいっしょに活動した仲間とは、それこそ一生の友だちになれます。とくに演奏会やコンクール、試合などでは、みんなが一丸となって行動するので強い団結力が生まれます。

その思い出はいつまでたっても消えないで心に残っています。競い合う相手だったとしても結果が出てしまえば、仲の良い友だちになれるものです。将来、ちがう学校に通うことになっても、住所が変わって

も、連絡先を知らせ合っておけばいつでも話すことができますね。大切な友だちの連絡先はひかえておくといいでしょう。

これからずっと先になって、みなさんが「老人」と呼ばれるようになってから、とつぜん昔の友だちと会うことがあるかもしれません。人間の運命は不思議なものです。最初はおたがいのことがわからなくても、少しずつ話すうちに、氷がとけたように昔の面影がよみがえってくるのは、何ともうれしいことです。

その日のために、今から同じ趣味の友だちをたくさん作っておくといいですよ。音楽で、ピアノや作曲をやっている人は、ぜひアンサンブルに加わってください。そしていつも、その友だちのことを気づかってあげられたら、とてもすてきなことですね。

■昔の友人がとつぜん訪ねて来るのはうれしいものですが、それがお金の無心だと困ります。先輩のM・M先生に相談すると「貸さないで少しだけお金をあげる」と言われました。こんな友人を百人持っていると、上手くいくかも。

第90回／2018年9月23日

♥オペラの発明家は?!

――本当は別の人ですが……

バッハ以前の作曲家なんて知らない、という人は多いようです。演奏の回数が少ないのでしかたがないことですが、名前は聞いたことがあっても顔が思い浮かばない、ということのようです。ルネサンスからバロックにかけての時代の作曲家の顔はみんな似たような絵で描かれていて、わかりにくいのは確かです。音楽家のほとんどは教会に勤めていて、髪の毛もかつらでしたから、どうしても同じように見えてしまうのですね。

しかし、一人だけ、その長い顔とまっ黒なあごひげで、一度見たら忘れられない人がいます。それが、クラウディオ・モンテヴェルディ（1567～1643年）です。名前の最後が「i」で終わるので、イタリア人ですね。彼の活動時期は16世紀と17世紀にまたがっています。つまり、ルネサンスからバロックにかけてですが、この二つの時代の作曲法は対位法（追いかけ）から和声学（和音のつながり）へと進みました。当時の作曲家はこのどちらか一方だけが得意でしたが、モンテヴェルディはその両方で書くことができた、ただ一人の作曲家でした。

それがもっともよく味わえるのが「オルフェオ」（1607年初演）、「ポッペアの戴冠」（1642年初演）といったオペラです。オペラを始めたのは彼ではなく、現存する作品としては、イタリア・フィレンツェで初演された、ペーリの「エウリディーチェ」です。それから7年たってイタリア・ミラノで初演された「オルフェオ」は、同じ物語ですが、比べものにならないほどの完成度を示しています。

とくに妻の死を知らせに来る使者の歌は、魂が地底にしずんでいくかのようです。この世とあの世のさかい目にあるとされる、三途の川をわたろうとする主人公は、声の秘術をつくしてそれに成功します。

一気にオペラの大巨匠とみなされたモンテヴェルディは、イタリア各地から招かれました。最後はヴェネツィアに建てられた市民のための劇場で、悪人が勝利を勝ち取るという、おどろくべき内容の「ポッペアの戴冠」を75歳にして書きました。オペラは生まれてすぐ一足飛びに、こんなに育ってしまったのでした。

■「君がオペラを作曲するのは、音楽性の足りなさを、文学や演劇でおぎなっているんだ」と、大学時代の師の仰せです。それでしかたなく、台本や演出、果ては衣装デザイン（縫えないけど）までをやるようになりました、結果的に感謝！

第91回／2018年9月30日

◆あなただけの訳詞を作ってみてね

——それはやっていいことです

「泉に沿いて しげる菩提樹」という歌詞で始まる歌があります。「歌曲王」と呼ばれるシューベルトが作曲した「冬の旅」に入っている曲です。この訳詞（日本語の歌詞）は、1909年（明治42年）に発行されたわが国初の女学生用教科書とされる『女声唱歌』に、近藤朔風が発表しました。もともとの歌詞は、ドイツのミュラーという詩人がドイツ語で書いています。それによると、泉に沿って並んでいるのではなく、「泉のわきに1本立って」いるのです。これは明らかに考えちがいですね。

そしてその先は、「したいゆきては うましゆめみつ」と続くのですが、実際に歌っているのを聞いただけでは、当時の若い人たちにも意味がわからなかったと思われます。漢字を用いれば「慕い行きては」なので、死体ではないことはわかりますが、その先の「うまし（甘美な）ゆめみつ（夢を見た）」はどうでしょうか。これは昔の言葉づかいである「文語体」で、主に書き言葉に使われる文だったために起こることです。当時はそのほうが格調高いと考えられていたのです。

さらに、「みきにはえりぬ ゆかしことば」は、現在でも「幹に生えりぬ」と歌う人がほとんどなのですが、これは「幹には彫りぬ」で、幹にきざみつけたという意味です。

近藤さんの訳はこのように現在ではあまりにも古く、実際の演奏には適しません。

そこで私は新しく「泉のほとり 菩提樹は立ち ぼくは木かげで幸せだったそして幹にきざみこんだ甘く悲しい愛の言葉を」と、訳し直したことがあります。このほうがもとの意味に近いし、聞いた人がよく理解できるのではないかと思ったからです。

このように、訳詞はときに不都合な場合があります。そう気づいた場合は、あなた自身や友だちと相談して、新しい訳を作ってみたらいかがでしょうか。もとの詩の意味は辞典で調べたり、むずかしかったら大人にたずねてみたりすると、きっと教えてくれるでしょう。

古いものに敬意を払うことは良いことですが、言葉はどんどん変わっていくのですから。

■知り合いの歌手が「菩提樹」を明治時代の扮装で歌う、というので聞きに行ったら、やはり「幹に生えりぬ」と言っていました！　何回もけいこしたはずなのに、だれも気づかなかったのでしょうか。知識のなさが露呈されました。

第92回／2018年10月7日

♥秋の歌って、正反対！——どっちが好きですか

「芸術の秋」ですね。音楽会がたくさん開かれています。では、秋を歌った音楽はいっぱいあるのかと調べてみると、実はそれほど多くはないのです。

「いや、そんなことはない。『村まつり』とか『ちいさい秋みつけた』とか、何曲も歌ったことがある」という人もいるでしょう。でもそれは、日本だけの特別な現象なのです。

音楽作品が多く生まれてきたヨーロッパやアメリカでは、秋は本当に短く、長い夏と冬の、ほんの数日間のつなぎでしかありません。日本のように3か月ぐらい続く、という地域は少なく、そのために秋らしい気分にひたっているひまはないのでしょう。でも、収穫祭の楽しさを描いた曲は昔からあります。これが外国の秋の曲の代表でしょうか。みなさんが楽しみにしているハロウィーンも、そうした秋祭りの一種なのです。

秋は「スポーツの秋」でもありますから、元気な曲も秋には似合うのですが、どんどん寒くなっていくと、木の葉が落ちたり、日が短くなったりして、さびしい気分になる人もいるでしょう。先ほどあげた2

曲の歌も、「村まつり」は長調で楽しい曲ですが、「ちいさい秋みつけた」は短調でさびしい感じです。日本には、こうした悲しい感じの曲も多く、明治時代には「荒城の月」（春から始まりますが、秋の歌です）が、滝廉太郎によって書かれました。大正時代には「十五夜お月さん」（本居長世作曲）、「船頭小唄」（中山晋平作曲）などが好んで歌われました。これらの曲は少し大人っぽい感じがします。

楽しい曲想が多かった外国の曲でも、19世紀半ばのロマン派からさびしい秋の歌が書かれ始めました。20世紀にはそちらが主流になった感じもあります。とくにフランスの大人の歌、シャンソンは、秋は悲しいものと決めているようです。「枯葉」という歌は、昔の恋を思い出すような歌です。

ですが、ハロウィーンも、もともとヨーロッパでは、亡くなった人のことを思い出すための「万霊節」という、日本のお盆に似た日だったので、悲しい感じもありなのでしょうね。

■ここにのせた曲はどれも好きですが、一つだけ「枯葉」は、曲はいいと思うのですが、シャンソンの歌い方がきらいなのです。音楽は好ききらいで決めていい（と前にも書いた）ので、拍がわかりづらいのは、いやだと言っておきましょう。

第93回／2018年10月14日

♣変わってしまったもとの意味

――こんなことして大丈夫なの

外国語の歌を日本語に訳すとき、もとの意味を完全に伝えることは不可能です。まず単語の長さがちがいます。英語のＩは「私」、ＹＯＵは「あなた」という意味ですが、発音するときは日本語のほうが長いですよね。国独自の文化や習慣も表しにくく、クリスマスは「降誕節」などと訳していました。

それでも訳をする人たちは、知恵をふりしぼって日本語に直してきたのですが、そこにちがった考え方や注文が加わることがあります。

たとえば「線路は続くよ どこまでも」というアメリカ民謡があります。日本では、１９６０年代にテレビで発表されました。列車に乗るときの気分にピッタリなので、修学旅行などでよく歌われたものです。

実はこの曲の原題は「線路の仕事」といい、線路工事の大変さを歌った曲だったのです。最後は、つらい仕事から解放されるのは、線路の上で息絶えることだとしめくくられています。それなのに、なぜ楽しい曲想なのかというと、工事をしていた黒人たちの気質で、今は大変でも、天国では幸せになれると信じていたからなのですね。これを子どもたちが歌うと、あまりに悲惨だというので、「線路」だけを残し、変えてしまったのでしょう。

もう1曲、イギリスの古い民謡で、シェイクスピアの劇にも出てくる「グリーンスリーブス」という歌があります。日本では「緑の並木」として、遠くにいる人と会える日がきそうな予感をうたっています。しかし、本当は全くその逆で、自分と別れて去っていく男性にたいするうらみの歌でした。「スリーブ」というのは、服のそでのことで、好きな人に緑のそでの服をぬってあげたのです。つまり、「緑」という共通点だけを残し、後は変えられてしまったのです。この曲は教科書にものりましたから、学校などで、あまりに激しい恋愛の気持ちを歌うのはどうかと、考えられたのではないでしょうか。

以上のような場合、よく見ると楽譜には「訳詞」ではなく、「作詞」と書いてあるはずです。

■文章を公にする際、変更を命じられることがあり、校閲といいます。各々の出版社によって基準がちがうのですが、当連載中、A新聞社は本当に何を書いても許してくれました。ただ1回だけ、むずかしすぎるというクレームがありましたけど。

第94回／2018年10月21日

♠「さん」なの？「先生」なの？

——呼ばれる側はどっちでも

友だちの名前の後に何をつけて呼びますか。「くん」や「さん」だと思いますが、お店などでは「様」と呼ばれることがありますね。それでは、学校であなたに教えてくださっている人のことは何と呼ぶでしょう。「先生」と呼んでいるはずですが、最近ふしぎな変化が起きています。卒業して何年もたつと、「さん」づけにしたり、大学などでは、直接自分が習っていない先生にたいしては「さん」と呼ぶ人もいるのです。

「先生」とは、自分を教え導いてくださる人にたいして、尊敬をこめた呼び方です。教育にたずさわっている人の職業のことでもあります。ですから、みなさんの学校で担任ではない方々も、たまたま直接教えを受けていないだけで、「先生」なのです。また、その関係は一生続くものです。たとえば、ご両親を「お父さん」「お母さん」と呼んでいるのに、都合があって別々に住んだら、呼び方が変わるというものではありませんね。

次に、「先生」とは医師をふくめ、高い技術を持っている人、尊敬されるべき力を持っている人のことでもあります。医師は私たちの健康を守り、病気から救ってくれる人です。画家や小説家はみんなに精神的な美や感動をあたえてくれる存在ですから、先生と呼ぶわけです。しかし、これも変化が起こり始め、テレビや対談などでは、そうした相手を「さん」と言うことがふえました。おそらくはかた苦しさを取りのぞくためだと思われますが、「さん」では、その人への尊敬の気持ちは、言葉の上からは判断しにくいことになりますね。以前は漫画家も作品が掲載される前（デビュー以前）は「さん」でも、掲載されたとたんに「先生」と呼ばれました。その人の技術が認められたあかしとなっていたのです。

音楽家を何と呼ぶかはみなさんの自由です。その音楽家をすばらしいと思うとき、習ってみたいと感じるとき、その人が学校で教えている場合などは「先生」と呼ぶべきなのでしょう。

ちなみに、私は昔は「先生」でしたが、今は「さん」になりました。なぜでしょうね。

■とは言うものの「先生」と呼ばれて悪い気がする人はまずいないでしょう。Bの近くでは、M君は15歳のときは「さん」、36歳の今は呼び捨てにします。N犬は連載当初は従順だったのに、今や機嫌が悪いと、うなっておどします。

第95回／2018年10月28日

「好敵手」っていますか？ ――そう見えるだけかも

あなたにはライバルがいますか？　競い合う相手という意味で、それが良い関係であるとき、「好敵手」と呼びます。スポーツでも勉強でも、おたがいを認め合って、おたがいに高め合う関係のことです。

音楽にもそうした例があって、ドニゼッティ（1797〜1848年）とベッリーニ（1801〜35年）がそうでした。二人ともイタリアの19世紀を代表するオペラの作曲家です。実際にこの二人の作品を聞くと、どちらが作ったものか、専門家にもわかりにくいほど似ています。人間の声の魅力を十分に引き出すことに成功した「ベル・カント（美しい声）・オペラ」ですから、似ている部分があるのは当然です。しかし、それだけではなく、取りあげた題材から作曲法、音楽観までほとんど同じなのです。

どちらも幼いころから音楽を学び、先輩であるロッシーニの影響を受けました。ドニゼッティのほうが4歳年上ですが、世の中に認められたのはベッリーニのほうが先でした。1827年、26歳のときにイタリア・ミラノのスカラ座で「海賊」、その2年後に「異国の女性」を発表し、いちやくオペラ界のスターになりました。これを知ったドニゼッティもやる気を起こし、1829年に「エリザベッタ」、翌年に「ア

ンナ・ボレーナ」といった、女性を主人公にした作品で大あたりします。すると、ベッリーニも負けずに1831年、「ノルマ」を発表しました。これらを「プリマドンナ・オペラ」と呼びます。

喜劇と悲劇の両方を得意としたことも共通です。ベッリーニが「夢遊病の娘」を書くと、ドニゼッティも「愛の妙薬」という喜劇を書きました。ドニゼッティが悲劇「ルチア」を書くと、ベッリーニも「清教徒」を発表します。

しかし、こうした良い関係は、ベッリーニの早い死でたち切られます。腹痛をがまんして作品を完成させたとたんの死でした。好敵手を失ったドニゼッティは、相手のために「レクイエム」（死者のためのミサ曲）を書きました。その後はだんだんと筆がにぶり、ベッリーニとの思い出のようなオペラを発表するにとどまったのでした。

■作曲家や漫画家は、締め切りが近づくととにかく必死で書き続けるために、寝食はおろかトイレに行くひまもありません（そのために膀胱炎になる人が多い）。とくにTVの仕事がそうです。もう声がかかることはないと思いますが。

第96回／2018年11月4日

♥男の人だけが歌う
——つまらない……かな……

男性しか歌ってはいけないと言われたら、音楽好きの女の人たちは、さぞおこるでしょうね。まして娯楽の少なかった昔は、たいそうつまらないことだったはずです。

西洋において、現在まで歌われている曲で、もっとも古いと考えられているのが「グレゴリオ聖歌」です。教皇（ローマ・カトリック教会のもっとも高い地位の人）グレゴリウス1世（在位５９０～６０４年）が定めた、という言い伝えがありますが、これほど多くの曲を一人が作曲できるはずはありません。実際はそれ以前のユダヤ教や中近東地域の歌から続いていると考えられます。もともとヨーロッパの東寄りの地域で生まれ、３８６年に帝政ローマ末期のミラノの司教・アンブロジウスが西側に伝えた、というのがもっとも古い記録です。

そして、聖書に登場するアダムとイブという人間の祖先のうち、神さまから禁じられていた木の実を先に食べたのが、女性のイブだったことから、女性の地位が軽んじられ、神さまをたたえる歌は、男性だけが歌うことを許されたのです。そのため、グレゴリオ聖歌は男性用と決まったのでした。

その楽譜は「ネウマ譜」という書き方で、初期は祈りの言葉を字で書いた上部に、印がつけられているだけでした。つまり、覚え書きだったのです。それがだんだんと発達し、ある音を示す横線が引かれ、そこに音符らしきものが記されるようになり、線も多くなり、四線で定着しました。基準となる音はド（C）で、その印がつけられた線がドになります。この印は後に「八音記号」といって、ヴィオラやトロンボーンに使われるようになりました。

本当に男性しか歌ってはいけないかというと、女性の修道院もあったのですから、実際は歌われていたのでしょう。また、男性の声に少年の声を合わせてオクターブちがいで歌うこともありましたが、男女混合で歌うことは決してなかったのです。そしてかならず「斉唱」（多人数で同じ旋律を歌う）なのでした。

■ネウマ譜の読み方は研究されていて、教えてくれる教室もありますが、町の文化センターでは見かけないので、通奏低音奏法とともに、やはりむずかしいのだと思います。Bは音の高さは読めますが、リズムが決められません。

第97回／2018年11月11日

♠音楽に男女のちがいはあるの？

――けっこうあるみたい

「ジェンダー」という言葉があります。社会が作りあげた「性差」のことで、男性と女性の性別による役割分担の意識や社会のしくみをいいます。

ひと昔前は「男らしく」「女らしく」などと言われて育てられましたし、着る服や持ち物もちがっていました。今でもトイレなどは別ですね、学校によっては、出席簿や並び方も分けられているのではありませんか。確かに、性別による見かけのちがいはあります。一般に男性のほうが大がらで、大人になるとひげがはえたりしますね。子どもを生むことができるのは女性だけの特権です。

音楽はその始まりから性差の影響を受けていました。「西洋音楽の基礎」といわれる「グレゴリオ聖歌」は、男性だけが歌っていましたし、作曲も男性の仕事と考えられてきました。メンデルスゾーンの姉ファニーが父親から「女性が作曲するとなまいきだと思われるから、弟の名前で発表するように」と忠告されたのは有名な話です。また、能や歌舞伎に女性がたずさわることは禁じられていましたし、オーケストラでも女性の入団をかたくこばんでいる団もあります。

演奏する曲も男性向き、女性向きと分かれているように思われます。声楽曲は声の高さに応じて、ソプラノ（女声）からバス（男声）まで大きく六つに分けて書かれます。ソプラノの歌をバスが歌うことはありません。歌曲でも男性の気持ちを描いた曲は、女性は歌いませんでした。器楽にもそういう傾向があります。いかめしい感じの曲（ベートーヴェンなど）は男性向き、かわいい感じの曲（モーツァルトなど）は女性向きと考えられてきました。

現在では、着る服も言葉づかいも全く自由になりました。古い習慣はどんどん見直されていきますから、性差はかなりへっていきます。しかし、音楽にはある程度残るでしょう。なぜなら、古い時代の考えを再現する芸術だからです。何を演奏しても自由ですが、音楽自体がきわだった性差を示していて、聞く側もそれを期待している場合も多いのです。

■Bは幼稚園のころ、「将来なりたいものは」と質問され「女の人」と言ったら、あわてた阿部先生に「それはなれないの、ピアノの先生になりたいって言いなさい」と訂正させられ、何だかそれに近いものになってしまいました。

第98回／2018年11月18日

♥合唱の始まりは……――はじめはふしぎな音

現在では、小学生はソプラノとアルトの二部に分かれて、大人はそれに男性のテノールとバスが加わって、四部で合唱することがふつうに行われています。こうした習慣はいつごろから始まったのでしょうか。

合唱の始まりは、全員が同じメロディー（旋律）を歌う斉唱（ユニゾン）からでした。今でも日本民謡などではそうです。西洋も同じように始まりました。すでに弦楽器（ギターなどの祖先）があったので、和音も知っていたはずですが、一人の人間の声では、和音を出すことは不可能でした。やがて、斉唱は二部に分かれます。もとのメロディーの5度上か下（ドにたいするソとファ）に、同じメロディーが重なるようになりました。これを「オルガヌム」と呼びます。

なぜそんなことが起こったのかというと、声には高低の区別があり、ソプラノの出しやすい高さと、アルトのそれとは5度ちがうからです。そして、男女の声の差は1オクターブですから、結果的には四部になるわけですね。

日本でも、戦争に行く兵隊さんを送るとき、集まった人たちが「君が代」を歌う際に、そういう現象が

起こったといいます。1960年代の小学校でも、遠足に行ったときに歌うと、やはりそのようになったのを覚えています。始まりの音をあらかじめ確認するという習慣がなかったためでしょう。

オルガヌムが初めて記録されたのは、850年ごろに著されたとされる『音楽の手引』という本ですが、それよりずっと前から行われていたはずです。しかし、それが論文として書かれたということは、この時代に作曲法として認められたということになります。もとのメロディーにたいして新しいメロディーをつけるために、「対位法」という作曲法となったのでした。

そして、ルネサンス時代（16世紀ごろ）には、この5度ちがいの音は古くさく感じられ始め、3度や6度といった、耳に心地良い音程が好まれるようになります。

5度が復活してくるのは、なんと20世紀に入ってからでした。古いものは、新しく感じられることもあるのですね。

■古典の曲の書き方である和声学では、5度の連続は禁止されていますが、最初期は良かったわけですね。大学に入ったら、今度はそれを推奨されて、「新しい感じの曲を書け」と言われ、目まぐるしい教育法だなと思いました。

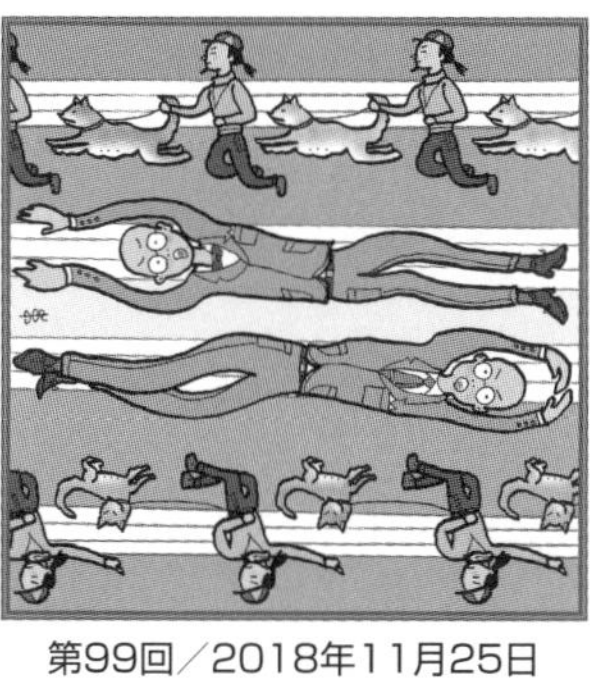

第99回／2018年11月25日

♣あれ？　楽譜がちがっているよ——どっちを取るべき？

学校や合奏団などで、まとめて楽譜を買う場合はいいのですが、みんながそれぞれ自分で探して持ってきた場合、ときとして、となりの人と楽譜がちがっていることがあるのですね。

たとえば「雪山賛歌」（アメリカ民謡）を歌うとします。すると、終わりの4小節だけがちがうメロディー（旋律）だったりするのです。こうした民謡は決まった楽譜がなく、だれかが歌ったのを聞き取って書く（採譜といいます）ので、どちらかが正しいということはありません。

クラシックの曲でも、出版社によってちがいがあります。ピアノを習っている人が初めて弾くモーツァルトの曲は「ソナタ ハ長調」（K.545）ですが、その第1楽章に、2か所ほどちがう音が書かれているのです。音楽のコンクールの際に問題になったりしますが、これは自筆の楽譜がすでに失われているか、あるいはどちらの音とも読み取れるために起きたことで、2種類が考えられると思うべきでしょう。

バッハの「平均律クラヴィーア曲集」第1巻第1番の有名な前奏曲にも、1小節分多い楽譜が出版されています。これは後から楽譜の校訂者、シュヴェンケが足したもので、短いほうがバッハの考えた音楽です。シューマンのピアノ曲も、本人が作曲をしなくなってから、妻のクララが書き直した部分があります。音の高さやリズムのちがいはそれでもまだ少ないほうですが、強弱やスラーなどの記号はそれこそ千差万別で、さまざまなちがいがみられます。同じ出版社から出ているのにちがうものもあるほどです。

もとの楽譜に、演奏しやすいように自分の考えを書きこんだ楽譜を、その監修者の名前をつけて「○○版」と呼びます。オーケストラの総譜などは指揮者が監修することが、ほぼ慣例となっています。それにたいして、作曲者の意思を尊重した版は「原典版」といいます。

身近な歌でも「手のひらを太陽に」の「ぼくの血潮」という部分や、「夏の思い出」の「遠い空」という部分に、楽譜によってちがいがみられます。これは作曲者の手をはなれて歌われる間にそうなってしまったと、作曲者本人からうかがいました。

■見づらいと思いますが、下のイラストは、3か所ある「まちがい探し」です。印刷上の汚れなどは問題にしないでください。

答え：すべて右側の①N犬のしっぽの線が1本少ない②M君の頬にきずがある③Bの額のしわが1本多い

第100回／2018年12月2日

♣劇の見どころは……ゲキバン！

――テレビドラマでも使ってる

演劇（芝居）は、舞台芸術の一つです。俳優たちが自分とはちがう人物になり、あらかじめ作られた物語を演じて、観客にうったえかけるのです。出演者のよりどころとなる文章を「台本」といいます。みなさんも、国語の教科書などで読んだことがあるでしょう。

もっとも純粋な演劇は「ストレートプレイ」と呼ばれます。これは俳優が話す言葉（せりふ）と動きだけで表現します。音楽はふつう入りません。なぜなら、日常の生活でとつぜん歌い出したり、踊ったりすることは少ないからです。毎日の生活では、どこからともなく音楽が聞こえてくることは、ほとんどありませんね。しかし舞台は日常の空間ではなく、お客さんはふつうでは起きない、非日常を楽しみに見に来るのだと考えた場合、そうした音楽が使われることがあります。こうした曲を「劇音楽」といい、正確には「劇の伴奏音楽」（略してゲキバン）と呼びます。ゲキバンは、演劇の始まりである古代ギリシア時代からあったことがわかっています。舞台の上にいる群衆役（コロス）の人たちが歌ったのでした。

音楽が全編をとおして使われ、歌われると「オペラ」（歌劇）になってしまいますが、一部分だけに使われる例はクラシック音楽にもあって、それが「音楽劇」です。有名な作品として、シェイクスピア台本「真夏の夜の夢」（メンデルスゾーン作曲）、イプセン台本「ペール・ギュント」（グリーグ作曲）、マルシャーク台本「森は生きている」（林 光作曲）などがあります。若い人たちも共感できる作品で、とくに歌（劇中歌）や踊りの部分は見どころの一つとなっています。

劇音楽は台本にある「ト書き」（せりふ以外の指示）によって、演出家が作曲家に依頼します。曲の雰囲気や長さまで指定されることもあります。日本では、１９５０年ごろまでの俳優は歌ったことがなく、とても簡単なメロディーしか書けなかったようです。中山晋平作曲の「カチューシャの唄」はそんな時代に作曲され（『復活』という演劇の劇中歌）、現在まで歌われている名曲です。でも、無伴奏で歌われたので、新たに伴奏をつけるのがむずかしい曲でもあります。

■劇伴は本当に楽しい仕事です。音楽以外の舞台関係者といっしょに仕事ができるということは、新鮮でスリリングです。とくに自分の書いた音が舞台にかかると、瞬く間に具体的な意味を持つのですから！　許されればまたやりたい！　ぜひ声をかけてください。

第101回／2018年12月9日

♥「音楽の母」は大巨顔

——……だと得をすることは

クリスマスの時期ともなると、ベートーヴェンの「第九交響曲」と並んでひんぱんに演奏されるのが、キリスト教の聖書を題材とした「救世主（メサイア）」です。四人の独唱者と合唱、オーケストラによる規模の大きな曲で、中でも一番有名な「ハレルヤ」は、聞いたことがある人もいるでしょう。

この曲を作ったのが、「音楽の母」と呼ばれるゲオルク・フリードリヒ・ヘンデル（1685～1759年）でした。彼は北ドイツのハレで生まれ、はじめはハンブルクで音楽活動をしました。そこでオペラを知り、足かけ5年イタリアですごし、ローマ、ナポリ、ヴェネツィアなどでオペラの勉強をしました。それをドイツのハノーバーで発表しましたが、さらに成功を求めてイギリスにわたりました。交通機関が発達していなかった当時としては、大変な活動家だったわけです。

外国人が音楽家として認められるには、何より王さまの後押しが必要だと考えたヘンデルは、1717年にジョージ1世がテムズ川で船遊びをすると聞きつけると、多くの楽器奏者をいくつものボートに乗せて華やかな音楽を演奏しました。これが「水上の音楽」です。相当なお金を使ったでしょうが、見事に功を奏し、王さまからとてもかわいがられ、「セルセ」（「慕わしい木陰よ」をふくむ）など数多くのオペラと、「救世主」などのオラトリオ（宗教的なオペラ）を上演します。とくに「ハレルヤ」の部分では感動した王さまが起立したため、それ以来、聞く人は立つ、という習慣が生まれました。

ヘンデルの曲は壮大で社交的であり、同世代のバッハより派手な感じです。人間的にも押しが強く、人の心をつかむのがうまく、外交官の役割もはたしていたといわれています。これは顔がきわめて大きかった（実は髪の毛がなく、巨大なかつらをつけていました）ことも手伝っているようです。

オーストリアの伝記作家のシュテファン・ツヴァイクは『人類の星の時間』の中で、彼が世を去った瞬間を「復活祭の鐘が鳴り終わらない早朝、ヘンデルの人間の部分だけがほろびた」と書いています。人間が亡くなっても音楽は永遠なのですね。

■ピアノでヘンデルの曲を弾くことはあまりありませんが、バッハよりずっと簡単です。もっとも内面的な深さは望むべくもないのですが……。彼の曲の良さは、大音響で聞くオルガン曲でも味わえます。ペダルの使い方も簡単ですよ。

第102回／2018年12月16日

♥作曲家の呼び方はいろいろ……

——「青嶋」は「アオヤマドリ」と

音楽の本や記事を読んでいると、一人の作曲家の名前が、ちがって書かれていることに気づきます。チェコ人のドヴォルザークが「ドヴォルジャック」や「ドヴォルシャック」になったり、フランス人のミヨーが「ミロー」と書かれていたりします。古くはベートーヴェンも「ベートーフェン」、モーツァルトを「モザールト」などと書いてある本もありました。これは、国によってその字の発音がちがうために起こることなのです。そして最近では、できるだけその人の国での呼び方に近づける方法が、取られるようになりました。

たとえばフランス語の場合、これまでは、のばしていた読み方を止める傾向があります。19世紀後半に「タイス」（間奏曲にあたる「瞑想曲」が有名）というオペラを書いたマスネーは「マスネ」、「ミニヨン」（「君よ知るや南の国」という独唱曲がある）を書いたトーマは「トマ」、六人組の推進者だったプーランクは「プランク」と書かれるようになりつつあります。先のミヨーも「ミヨ」となるはずですが、まだ見かけません。

ドイツ人のゲオルク・フリードリヒ・ヘンデルは、イギリスの国籍を取得したために「ジョージ・フレデリック・ハンデル」と読むのが正しいという説があります。

「乙女の祈り」を書いたバダルゼフスカは「バダゼフスカ」、それに「ボンダゼフスカ」と呼ばれるようになってきました。夏目漱石はこれをちゃかして、ショパンを「チョピン」と、中原中也はシューベルトを「シューバート」と言っていたことから、「シュバちゃん」と詩の中に記しています。

日本人にもこうした例はあり、指揮者でもあった山田一雄は山田和男、山田夏精と名を変え、平井康三郎も平井保喜がはじめの名前です。山田耕筰ももとは「耕作」だったのを、髪の毛がなくなったかわりに「⺮」(タケカンムリ)をつけたのでした(ケが二つ)。

私の名前もフランスでは「アオシマ・イロシ」と呼ばれます。「H」の発音ができないらしいのです。今のところは、いろいろな読み方があると知っているくらいでいいでしょうね。

■Mihaudの字はとても読めません。ふつうは「ミハウド」でしょうね(フランス人は本当に読めるのでしょうか?)。山田一雄先生は、奥さんをかえる度に名前を変えていたと言われていますが、ご本人に聞きのがしました。

第103回/2018年12月23日

柴犬(しばけん)なのに
さむがりだね
あけまして
おめでとう

第3章
2019年1月〜2020年3月

♠新年の音楽を聞いてね！

――ほかの時期だとちょっと変……

新しい年が始まりました。今年はどんな年になるのか、何をしようかと、ワクワクしていらっしゃることでしょう。その気持ちを高めるために、新年にちなんだ音楽をぜひ聞きましょう。

日本ではお正月が一番重要で、華やかな行事とされているので、お正月にちなんだ曲がたくさん用意されています。わらべ歌にも「お正月がござった」など、神さまがいろいろな品物を持ってきてくれるという楽しい歌や、明治時代に作られたおごそかな感じの唱歌「一月一日」（年のはじめのためしとて……）が、今なお歌われています。放送やお店のBGMもこのときとばかりに邦楽の演奏が使われ、「春の海」（宮城道雄作曲）はその代表となっています。箏（琴）と尺八が原曲ですが、フルート（またはヴァイオリン）とピアノでも演奏できるので、ぜひ弾いてみてください。

ところが、ヨーロッパでは新年はクリスマスの延長と考えられているので、特別な音楽はありません。むしろ、その一日前の大みそかのほうが大切に考えられているようです。シューマンの「子供のためのアルバム」の最終曲「大みそかの歌」などは、雪が積もったすがすがしい町のようすを表していて、まさに、ピアノで弾ける宗教曲という感じです。また、オペレッタ「こうもり」（ヨハン・シュトラウス2世作曲）や音楽劇「森は生きている」（林光作曲）は、大みそかの夜から新年までの一晩が描かれています。

日本では紅白歌合戦が有名ですが、西洋ではそれに代わるジルベスター（大みそか）コンサートや、カウントダウンコンサートがあります。それらは深夜の0時をまたいで開かれ、その瞬間に「おめでとう」を言い交わします。オーストリアのウィーンでは新春コンサートが開かれ、シュトラウス2世の「美しく青きドナウ」や「春の声」が定番（かならず演奏する曲）となっています。

めずらしいお祝いとしては、1月6日に定められている「三王礼拝の日」があります。幼いキリストに会いに来た3人の王さまを記念して、子どもたちが近所を回ります。「アマールと夜の訪問者」（メノッティ作曲）は、その日に起きた奇跡をオペラにしたものです。

■クリスマスから新年にかけて音楽家は大いそがし。とくに大みそかから元旦にかけては寝る間もありません。一番大変だったのは、金沢でのカウントダウンコンサートの後、大雪のため一便だけ飛んだ飛行機に乗り、東京の帝国ホテルの新春コンサートに出演したことです。

第104回／2019年1月6日

♥コロラトゥーラは声の楽器
――うまく歌えるとごほうびも

西洋では、キリスト教の考え方に従って、神さまがあたえてくれた人間の声が最上で、楽器はそのまねをしているだけなので下等だとされてきました。そのため、長い間、教会では使われてきませんでした。しかし、楽器の性能が上がって、声をしのぐ音域や性能を持つようになると、今度は楽器のまねをする歌い方が現れました。その一つが「コロラトゥーラ唱法」です。

コロラトゥーラは「カラー」という言葉と語源が同じで、いろどられたような華やかな歌い方を指します。たとえばフルートなどは細かい動きを得意としますが、声ではなかなかうまくいきません。とくに母音だけで歌おうとすると、正確な音の高さにならないのがふつうです。一つの母音でたくさんの音を歌う方法を「メリスマ」ともいって、世界各地の民謡によく聞かれます。ただし、このメリスマという言葉は、民族音楽の分野で主に使われています。

こうした歌い方は、歌詞の内容や劇の役がらによって決まりがあります。一番多いのはうれしい場合で、「ハレルヤ」（神をたたえる言葉）などに使われます。モーツァルトには、この言葉だけを用いたコロラトゥーラ向きの曲があります。
次に、人間でない存在を表す場合で、多いのは鳥や妖精です。ロシアの作曲家アラビエフには「ナイチンゲール」という作品があります。また、通常の精神状態でない場合も歌われます。オペラ「ルチア」（ドニゼッティ作曲）の「狂乱の場」がその有名な例です。ものすごくおこったり悲しんだりしている場面でも使われます。モーツァルトのオペラ「魔笛」の夜の女王は2曲のアリア（独唱曲）を歌いますが、両方ともコロラトゥーラが用いられます。その2曲目は怒りの表現です。

そして時代が下ると、単にソプラノ歌手の技術を見せびらかすためだけに、こうした曲が書かれるようになりました。うまく歌えれば、たくさんの拍手がもらえるからです。一度まねをして歌ってみるとおもしろいですよ。ソプラノだけでなく、アルトや男の人にもコロラトゥーラはありますから、探してみてくださいね。

■共演していて一番おもしろいのはコロラトゥーラのある曲です。まるで楽器のようでいて、それを人間がやってしまうのですからおどろきです。きびしい訓練の賜物なのでしょう。北野 武さんも大好きだと言ってらっしゃいました。

第105回／2019年1月13日

♣音符にも書き順がある

――右利きの人用だけど

文字に筆順（書き順）があるように、音符にも書く順序があるのです。昭和の時代には小学校の音楽の授業で教えていましたが、最近では音楽の専門学校に入学してくる人たちも知らないようです。音符を書くことはあまりないという人も、覚えておくと役に立つことがあるかもしれません。

音符には、玉と棒、それに「鉤」と呼ばれる音符同士をつなぐ横線があります。

まず五線の中に入っている高さの音は、玉から書き始めます。しかし、これは本当の玉ではなく、上下の弧線（上下にふくらんだ曲線）が両側でつながったものなので、上と下の輪かくを先に書き、黒丸の場合は中をぬりつぶすのです。ガチョウの羽や葦のペンで書いていたころのなごりです。

続いて棒ですが、これは上から下に向かって書きます。棒が上下どちらに向いている場合もそのようにします。フリーハンドで、縦にまっすぐな線を引くためにそうするのです。

そして鉤ですが、これは縦の棒よりも力をこめて太く書きます。五線よりも太くないとわかりにくいからです。音の高さが上下に動いている場合は、その動きと平行にします。まちまちな場合は、最初と最後の音符からはえた棒を基準にして引きます。これは実際の楽譜を見て覚えるのが一番です。もちろん、横の線は左から右へ書きます。

付点は棒の後につけます。これも玉が五線にのっているときは一つ上の間に、間の中にあるときは、そのとなりに記します。よく使われる4分休符（𝄽）は、下から上へ炎が燃え上がるように書きます。8分休符（𝄾）などは上から下へ書きます。

平成の時代に入ってからは、文字の筆順も自由になってしまったと聞きます。実際に文字を書くことが少なくなったからでしょうが、美しく整った文字や楽譜を書くためには筆順が必要です。

とくに自分で書いた筆跡には、そのおりおりの感情も見てとれるものです。コンピューターの文字はきれいですが、感情はないですね。

■世の中の人が全員、コンピューターを使うようになってしまえば、漢字や音符の書き順など、どうでもよくなってしまうでしょう。人類最後の手書き人間であるBは、それなら可能な限り美しい楽譜を、と願っているのですが……。

第106回／2019年1月20日

♥幽霊も出るよ！ 20世紀後半のオペラ

——そんなに恐くありません

20世紀はすごく昔のように思うかもしれませんが、実はそんなに前のことでもないのです。みなさんのまわりには、多くの20世紀生まれの人たちがいますね。

20世紀前半のオペラは、まだイタリアとドイツががんばっていましたが、後半になるとそれまでふるわなかったイギリスやアメリカで、おもしろい作品が書かれるようになりました。

その代表格が、ベンジャミン・ブリテン（1913〜76年）と、ジャン=カルロ・メノッティ（1911〜2007年）です。この二人もまた、同業者の常として、おたがいをライバル視していたことが知られています。来日したおり、相手の曲がどのくらい上演されているのかたずねたそうです。ただし、その作風はかなりちがったものでした。

純粋なイギリス人であるブリテンは、キリスト教徒として厳格な教育を受け、すべての分野で作品を残そうとしました。しかし、一生の親友となるテノールのピーター・ピアーズを知ってから、声楽曲を中心に活動を始めます。

日本で鑑賞した能「隅田川」をもとに書いたオペラ「カーリュー・リバー」（1964年初演）は、子を失った母を描いています。ピアーズが主人公を務めた、正気を失った母親役で、その子どもの幽霊はボーイソプラノが歌うという、恐ろしくて迫力のある内容ですが、最後は母親をあわれに思う気持ちがわいてきます。

イタリア生まれのメノッティは、若くしてアメリカに移住しました。生まれながらにイタリア・オペラの感覚を持っていたとみえて、伝統的な歌の書き方に、アメリカ特有のうきうきした雰囲気を加えました。1946年に初演された「霊媒」（死者の魂を呼ぶ人）は、お客をだましてお金をもうけていた老婦人の前に、本物の霊が現れ（あるいはそう思いこみ）、どんどん破滅に追いこまれていくという、これまた恐ろしい話です。しかし、部分的にはアニメソングみたいな音楽もあったりして、十分に楽しめるでしょう。

二人にはそれぞれ、小学生向けの作品として、「小さな煙突そうじ」と「アマールと夜の訪問者」もありますから、ここから鑑賞を始めてみてください。

■青森県の恐山に行ったとき、イタコに頼んで祖母を呼び出したことがあります。昭和50年代で、1回8千円でしたが、それは基本料金で、当方の質問に霊が答える度に千円ずつ加算されるというシステムでした。がめつい！

第107回／2019年1月27日

♥ショスタコーヴィチは気の毒

——でもとても賢く、強い人

何が気の毒かといって、芸術家が自分の表現をねじ曲げられることほど、苦しく、気の毒なことはありません。モーツァルトがとても貧乏だったことや、ベートーヴェンが耳に障がいがあったことは確かに気の毒な事実でした。しかし彼らは、こと作曲においては、自分の信じる方向を変えることは一生ありませんでした。

1917年、ロシアで革命が起きました。ロシア生まれのショスタコーヴィチ（1906〜75年）が11歳のときでした。彼はソビエト連邦（今のロシア）の一員として、社会主義の考え方に従って作曲をしなければならなくなりました。それはひと言で記せば、どんな人にもわかりやすい音楽で、あまりにも個人的な感覚や特殊な技法をさけるという作曲法でした。

しかし、時代はすでに20世紀に入ってかなりたっていましたから、ヨーロッパの若い作曲家たちはそれまでの枠にとらわれず、不協和音や無調、拍子がひんぱんに変わる曲などを書いていました。

1932年に発表したオペラ「ムツェンスク郡のマクベス夫人」は大成功だったにもかかわらず、主人公のカテリーナが殺人をおかし、自殺するという悪い女性だったため、批判されてしまいました。１９６３年に、修正を加えて題名も「カテリーナ・イズマイロヴァ」と変え、なんと、別の作品として上演されたのでした。この間、彼は音楽教師の職も失い、国の政策に合わない曲は、隠していたのです。

しかし、ショスタコーヴィチの死から16年後の１９９１年、ソビエト連邦は崩壊し、隠されていた作品が発見されました。さらに、イギリスの作曲家ブリテンにおくった手紙から、彼は国のために書いたものでも、実は聞く人が聞けば、その本心がわかるという作曲法（二重言語）を使っていたことがわかりました。これによれば、自分を曲げて書いた「森の歌」（ソビエト連邦をたたえる大合唱曲）も、もしかすると「芸術は、より高い世界を目指すものだ」と、全世界の人びとに伝えているようにも思えるのです。

これからもずっと、表現は自由でありたいものですね。

■わが国でも、戦争によって留学先が決められてしまうという時期がありました。敵対している国には行けなかったのですね。橋本國彦は、フランスに行きたかったのに、ドイツに決められて、自分の音楽性を失いました。

第108回／2019年2月3日

♥エルガーは奥さんのおかげで

――私もM・Nのおかげで

余計なことかもしれませんが、みなさんの家庭はだれの働きで収入を得ているでしょうか。昔は父親が一家の大黒柱（中心）となっていて、男性は結婚するとお金かせぎに大変だったのです。

イギリス近代の作曲家エドワード・ウィリアム・エルガー（1857〜1934年）は、正式な音楽教育を受けなかったためか、長い間、作曲はおろか、音楽の仕事で身を立てることができませんでした。結婚も当時としては遅く、32歳のとき、ピアノの生徒だったキャロライン・アリス・ロバーツと結ばれました。彼女の父親は海軍の高い地位にある軍人で、生活費を援助してもらっていました。

1888年に書かれた小品「愛の挨拶」は、奥さんにお礼の意味をこめておくった曲ですが、本当のところは、そのお父さんにお礼を言うべきではなかったでしょうか。

ただ、この曲はピアノで弾くにはむずかしく、現在はその美しい旋律線を生かして、ヴァイオリンや小管弦楽で演奏されることが多くなっています。エルガー個人のあふれんばかりの、愛情が感じられる名曲として有名です。

それまでは地域の合唱団から小品をたのまれる程度だったのに、1899年に大がかりな「エニグマ（謎）変奏曲」が世に知られてようやく注目されるようになりました。1901年にはついに王室から注文を受け、「威風堂々」行進曲第1番の旋律を、エドワード7世のために新しく書き直しています。これが現在、イギリス第2の国歌として歌われています。このときエルガーはすでに44歳になっていました。

ひとたび注目されるとその後は勢いがつき、騎士や准男爵の称号まで受けるほどになりました。イギリスを代表する交響曲や協奏曲を次々と発表しますが、1920年に愛する夫人と死に別れてからは、創作意欲にかげりが生じます。晩年に少し盛り返したものの、完成させた作品は結局ありませんでした。

つまり、エルガーは夫人から、物心ともに援助を受け、彼女のために曲を一生書き続けた「愛に生きる人」と呼ぶべき作曲家だったのです！

■音楽家になるにはお金がかかります。親が音楽家ならまだしも、一般の人の場合は。Bの家系もそうだったので、大学入試は1年目だけ、レッスンは高校まで、楽譜などを買うお金は月千円まで、というきびしい条件でした……。楽譜店で、そっとノートに写したんですよ。

第109回／2019年2月10日

♠吹奏楽ってスポーツ？

――入部してみて初めてわかる

学校のクラブ活動で吹奏楽部に入っている人も多いことでしょう。小学生のうちはまだそうでもありませんが、中学生になると、にわかに運動部みたいな雰囲気になるようです。

全員が体操服（ジャージー）姿で練習したり、演奏中は、絶対動いてはいけなかったりするところもあります。先生や上級生が何か言うと、とにかく全員で声をそろえて大きな声で「はい」と答えるなど、部員でない人にとっては、おどろくこともいろいろあるのです。

中でも顧問の先生をものすごく敬うのは、音楽を教えてくださる方ですから、ある程度は当然としても、あまり特別に考えなくてもいいと思います。確かに指揮者は重要な働きをしますが、もしも友だちが指揮をする場合には、どう接するのかを考えてみてください。もちろん大人数のことですから、その場でいちいち自分の考えを述べていたのでは、時間も足りなくなるでしょう。そういう場合は一応うなずいておいて、後でゆっくり話し合えばいいのではないでしょうか。

先生側も考え直さなくてはなりません。「〇〇しておけ」とか「いいな！」などという荒々しい言葉は、勇ましさはわかるのですが、教育や音楽の場では使うべきではありません。すぐに「根性」を引き合いに出すのも問題です。とくに部をやめようとする人に「根性をたたき直してやる！」などとさけぶのは、どうかと思います。昭和40年代（1965〜74年）のスポーツ漫画のようです。

クラブというのは本来、楽しんで集まるものです。このような態度で全員が楽しめるでしょうか。楽しくなければそうなるように作り替えればいいのです。ただ、大事な演奏会の直前などにとつぜんやめたりするのは、ほかのみんなが困りますから、何とかうまく参加できるように工夫してみましょう。

吹奏楽はもともと、軍楽隊から始まったもので、今でも警察や消防などの楽団が活躍しています。技術の点では見習うとしても、そのほかの立ち居ふるまいなどは、まねなくてもいいと思います。

もっと気楽に考えて、吹奏楽を楽しんでくださいね。

■しかし世の中学生たちは、怒鳴られるのを喜んでいる節があります。それが良い思い出になればいいのですが、やはりジャージーがいけないんじゃないでしょうか。放課後ですし、自由服でやれば、もっと気楽なのでは？

第110回／2019年2月17日

♠バトントワリングって音楽？

——見た目のほうが重要みたい

運動会やパレードの際、音楽（ふつうは吹奏楽）に合わせて棒（バトン）や旗を持って動き回る演技を「バトントワリング」といいます。主に女性が出演していましたが、最近では男性がすることもあるようですね。

ここで一つ問題になるのは、これを音楽としてとらえるか、踊りなのか、ということです。同じような疑問はフィギュアスケートやアーティスティックスイミング（シンクロナイズドスイミング）にもあります。少し視点を変えれば、オペラやミュージカルは演劇なのか音楽なのかという質問も出そうですよね。

きわめて細かいところまで考えれば、音楽とは音だけで成立している芸術のことで、器楽の演奏はその一番代表的なものです。歌の場合は歌詞が入りますが、詩は発音されれば音ですから、これもまさしく音楽です。

しかし、劇場作品の場合は、見る要素がかなり重要になってくるので、どんどん演劇に近づいていきます。かならず踊りが入るミュージカルはその分、音楽からはなれることになりますが、放送や録音などで鑑賞できるうちは、音楽の範囲に入るでしょう。

　スケートやアーティスティックスイミングは、お客さんの意識を演技者に集中させるために、音楽は録音したものを流すことが多く、かつて、オリンピックでは人の声を使わないという決まりがありました。以前、浅田真央さん（元フィギュアスケート選手）にたずねたことがありますが、「スケートは芸術性の高いスポーツ」だと言っていました。そして、高得点を取った選手が使った曲が流行するのは、2006年のトリノ冬季オリンピックで、荒川静香さんが使った「トゥーランドット」からが顕著です。

　バトン演技は、こうした意味からも音楽を用いた団体演技です。もともとはアメリカ軍楽隊の指揮者が指揮棒をふり回したのが始まりだったので、今でも吹奏楽が使われているわけです。いつも実際の演奏がともなうので、音楽の部分がしめる割合が大きいですね。

■スポーツではないと感じるのは、出場者の笑顔です。運動競技とは限界を競うものなので、どうしても悲壮な表情となりますが、これらの競技は笑顔を作ろうとしますね。でも全員が同じように張りついた笑顔なのもちょっと……。

第111回／2019年2月24日

♣ふしぎな「ひなまつり」

――メロディーはいいけど……

「桃の節句」と呼ばれているひなまつり。とくに女の子がいない家でも、ひな人形をかざっているかもしれませんね。この日のための曲はいくつかありますが、どれも上品で古風な感じです。ひな人形が、平安時代の宮廷の人たちの衣装をまとっているからですね。その中で一番よく歌われているのが、サトウハチロー作詞、河村光陽作曲の「うれしいひなまつり」（1935年）です。作られてから30年ほどは童謡歌手の持ち歌で、レコードが何枚も出ていました。曲の中心となる旋律は大変みやびやかで、しなやか。今聞いても、第一級です！

ところが、その伴奏の和音が、始まりからかなりおかしいのです。この曲は日本古来の「四七ぬき音階」（ドから数えて4番目のファと、7番目のシをのぞいた、ドレミソラ）なのですが、作曲者は八短調として書いています。字で書くとわかりづらいので、ぜひ実際に音を鳴らしてほしいのですが、前奏は「レレ・ドレ・ソソ」と始まります。そのときの和音が「主和音」と呼ばれる「ドミソ」なのです。

私はこれを幼稚園で初めて聞いたときに「おかしい」と思い、先生に伝えて「ソドレ」という和音にして弾きました。まず、伴奏はその部分の旋律にある音を使うという決まりがあります。しかし、ふつうに使われる和音に「ドレソ（ソドレと同じ）」という種類の和音はないので、作曲者はあえて「始まりは主和音」と決めたのでしょう。

レの次はドにいきますから、「ドミソ」でも良いと考えたのだと思いますが、実は旋律がドのとき、その和音はすでに終わっているので、どうも変なのです。ここは西洋式ではなく、日本の音による和音を使うべきでした。しかし、鼓の「ポン」という音を表すためにあえて使ったのだとしたら、それは拍手すべき作曲法です！　ただし、たずねようにも作曲者はすでに亡くなっているのです。

同じ春の歌「早春賦」（中田章作曲、1913年）の前奏にも、似たようなまちがいがあります。ずっと直されませんでしたが、ご子息の中田喜直さんがついに直して、やっと安心して弾いたり、聞いたりできるようになりました。

■こうした箇所を、自らの即興演奏で直して弾いていたのですが、つい先日、この本を出していただいた出版社から、Bなりの伴奏集を2冊出しました。本当はだれにも教えず、しかもその日の気分で少し変えて弾いていたかったのですが……。

第112回／2019年3月3日

♠謝肉祭って知ってる？——ぜひ行ってみて

キリスト教を始めたイエス・キリストの誕生日が12月25日だということは知っていますよね。ですが、「亡くなった日（命日）はいつ？」とたずねられて、すぐに答えられる人はあまりいないと思います。調べてみると、これが歴史の本にもちゃんとのっていないのです。ただ、聖書には「墓にうめられて3日後に復活した」と書いてあるので、「復活祭」という祝日がわかれば、その3日前ということになるのですが、これが「移動祝日」といって、毎年変わるのです。そんないい加減なことが許されるのでしょうか。それとも、あまり良いことではないので、隠しているとか……。

いずれにせよ、復活祭が行われる季節は春です。そして、命日の前に断食する（少なくとも肉を食べない）期間があり、その前にたくさん食べておこうとする習慣を「謝肉祭」と呼んでいます。ヨーロッパでは街をあげて行われる盛大なお祭りです。約1週間続き、その終わりにあたる「バラの月曜日」「スミレの火曜日」と呼ばれる日には、仮装してパレードが行われます。とくにドイツの南西部にある「黒い森」と呼ばれる森林地帯では、仮面をつけて火の上を飛んだり、むちで地面をたたいたりする儀式もあります。

これはキリスト教以前から続いていて、春をむかえる祭りだと考えられているのです。

こんな盛大な催しですから、音楽が用いられるのは当然で、行進曲やおはやしは地域ごとに残っています。作曲家たちはその印象を作品に仕あげ、古い人ではリュリがバレエにしています。ドヴォルザークの序曲「謝肉祭」やリストのピアノ曲「ペストの謝肉祭」など、どれもにぎやかな音楽です。

中でももっとも興味を示したのはシューマンです。彼は「謝肉祭『四つの音符によるおもしろい情景』」「ウィーンの謝肉祭の道化」という不思議なピアノ曲を書いています。彼の幻想的な性格が謝肉祭のイメージと合ったのでしょう。

また、モーツァルトの「ドン・ジョヴァンニ」という悪者が主人公のオペラも、この期間に上演するために作られました。つまり、人びとが羽目をはずす時期だから、どんな話でも許されたのでしょう。

■ちょうどこの文を書いた数日前、BとMはドイツのロットワイル（黒い森）とケルン（最大規模のパレード有り）の謝肉祭に参加していました（Nは残念ながら不参加）。百聞は一見にしかず、一度行ってごらんなさい。1年分のお菓子がもらえますよ！

第113回／2019年3月10日

♣よくわからないが、緊張する音楽
――きらいでもかまわない

抽象画を見たことがありますか。人の顔や風景をそのまま描くのではなく、単なる線と色だけで表現した絵です。したがって何が描いてあるのか、よくわかりません。ロシアの画家カンディンスキー（1866〜1944年）が始めたといわれています。同じころ、音楽の世界でも似たような考え方が起こりました。そのもっとも重要な方法は「無調」による作曲法でした。

それまでの曲は、たとえばハ長調ならドミソの和音で始まり、ドミソで終わるといったように作られていました。そのため、聞いていて安心できる音楽でした。旋律も「ドレミファソラシ」が重要な音で、それを主に使って歌いやすい音の動きで書かれていたのです。

しかし、無調では和音の決まりは捨てられ、中心となる音も決まっていません。そのため、聞いていてふしぎな、不安な感じがする音楽が生まれます。はじめのうちは、行きあたりばったりに、それまでの作曲家が書かなかったような音を、まるでわざとまちがえて弾いたように音符を並べていました。それで「熱い無調」と呼ばれました。しかし、それではあまりにも暴力的だということになり、無調の書き方の決まりが発明されたのです。一般には、オーストリア出身の、アルノルト・シェーンベルク（1874～1951年）が始めたことになっている「十二音技法」がそれです。

オクターブの中にある12の音を、できるだけふしぎな感じの順番で全部並べ、その順番どおりに旋律を書くのです。この順序を「音列（セリー）」と呼びます。和音もその順番の音を重ねて作ります。すると、これまでだれも味わったことのない雰囲気の音楽が生まれたのです。1923年のことで、理知的に作ったために「冷たい無調」と呼びました。これが20世紀初頭の、第一次世界大戦が起こった不安な時代の気分とよく合っていて、「これこそ現代音楽だ」ともてはやされました。作曲の勉強にも取り入れられましたが、はたして聞いたり、演奏したりするには、どういう感じでしょうか。大変な緊張感を強いられるのは確かですが……。21世紀になって、あまり聞かなくなりましたが、今後はどうなるでしょうか。

■無調の曲は、メチャクチャにピアノを弾けばいいんだから簡単かな、と思っていたら、とんでもない。それを楽譜に書きとめるのは尋常でないソルフェージュ力を必要とします。それに比べれば十二音技法のほうが、まだ楽かも。

第114回／2019年3月17日

◆卒業式で歌うのは……

——昔は決まっていました

3月も後半になると、どこの学校でも卒業式が行われ、下級生が最上級生を送ります。いろいろな思い出が頭の中をかけめぐって、思わず涙をこぼす人もいるかもしれません。でも、同じ学校の中で生活できなくなるだけで、会おうと思えばいつでも会えるのですから、そんなに悲しがらないでください。むしろ、新しい生活が始まることをお祝いしましょう。

卒業する人たちが歌う曲の定番としては、1884年に発表されてから歌いつがれてきた「仰げば尊し」があります。作詞、作曲者不詳のこの歌は、8分の6拍子で、「弱起」（旋律や楽曲が小節内の1拍目以外の拍から始まること。アウフタクトという）で始まります。終わり近くにはフェルマータ（停止する記号𝄐）がついていて、とても凝った作曲法です。当時としてはめずらしく、音階の7番目の音がないだけという、西洋の長音階に近い旋律です。学校で歌われる唱歌は、作者の名前は明らかにするものではないという考え方があり、この曲の由来はわかりません。しかし、どことなくイギリスの雰囲気があるので、アメリカ経由で入ってきた可能性があります。

それにたいして、送る人たちが歌う「螢の光」は、スコットランド民謡だということがはっきりわかっています。ただ、別れの曲というわけではなく、しばらくぶりに会った船乗りたちが、お酒を飲みながら楽しく歌っていたらしいのです。いずれにせよ、この2曲の歌詞は、日本人による全くの創作ですね。

ほかには、昭和40年代（1965〜74年）から「大地讃頌」がとくに中学校で歌われるようになりました。しかしこれまた、別れの曲ではありません。もともとは「土の歌」（大木惇夫作詞、佐藤眞作曲）という、合唱とオーケストラのためのカンタータ（大規模な声楽曲）の終曲でした。学校によっては、伴奏を器楽合奏に編曲して演奏している例もあるようですが、作曲者は固く禁じていることを知っておいてください。ピアノ伴奏を弾く人は、オーケストラを一人で引き受けているのですから、堂々と弾いてください。

■「仰げば尊し」についての仮説があたっていました！　1817年にアメリカで出版された「学校卒業の歌」が原曲です。作詞者はT・H・ブロスナン。作曲家は残念ながらH・N・Dという頭文字しか判明していません。さらなる研究が待たれます。

第115回／2019年3月24日

◆お誕生日はいつですか？

——定番の曲といえば

誕生日は一年の中で特別な日です。だってあなたがこの世に生まれた、記念すべき日なのですから！その日にとつぜん、1歳年を取るわけではありませんが、何となく大きくなったという自覚が生まれますよね。

ところで、誕生日を祝う歌で、世界中でもっともひんぱんに歌われている曲を知っていますか？そうです！「ハッピー・バースデー・トゥ・ユー」です。でも、もともとは誕生日を祝う歌ではなかったのです。知っていましたか？英語で歌われますから、作者の生まれた国も想像がつくでしょう。1893年にアメリカのヒル姉妹（姉はミルドレッド、妹はパティ）が作詞、作曲した「グッドモーニング・トゥ・オール」がはじめの歌でした。ト長調で4分の3拍子、3拍目から始まる旋律です。日本では1拍目から始まるように歌う場合がありますが、これはまちがいです。指揮をするときには、2拍空ぶりして始めてください。誕生日の人の名前を言う2拍目を長くのばす習慣がありますが、もとの楽譜にはその指定はありませんでした。人によって名前の長さがちがうので、そのようになったのでしょう。1920年

ごろにだれかが現在の歌詞に変えたらしいのですが、正確なことはわかっていません。

この短い歌も、「ベルヌ条約」によって、著作権（音楽や絵などの作者が、自分の作ったものを無断で使われない権利）を守る期限が決められていました。日本でこの曲が自由に使えるようになったのは、曲については2007年5月22日以降、歌詞については1999年5月22日以降でした。ですから、今は歌ったからといって、お金を払う必要はありません。しかし、それまでも個人的な集まりで歌われた際などに、払っていたかどうかは疑問です。

誕生日の曲は、シューマン（ドイツ）のピアノ連弾曲「誕生日の行進曲」、バーンスタイン（アメリカ）のピアノ曲「四つの記念日」などがあります。昔の作曲家は、王さまの誕生日のお祝いに曲をささげたりしていたので、その数はぼう大なものになるでしょう。ちなみに私の誕生日は、今日、3月31日なのです!!

■今さらですが、Bの本当の誕生日は4月11日なのです。祖母の述懐によると、少しでも早く世の中に出したいとのことで、「名前を考えていた」と偽って届け出を遅らせたそうです。すると後1年、定年が先だったのに余計なことを！

第116回／2019年3月31日

♥一番有名な春の曲は？

——調べたわけではないけれど

暖かくなると花も咲き、動物も活動を始めます。新学期も始まって、春は喜ばしい季節ですね。

春を歌った曲は、たくさんあります。文部省唱歌「春がきた」から始まって、モーツァルト「春への憧れ」、ピアノ曲ではメンデルスゾーンの「春の歌」、シンディングの「春のささやき」、ベートーヴェンのヴァイオリン・ソナタ「春」、シューマンの交響曲「春」にいたるまでめじろ押しです。

中でも一番有名でよく聞かれるのは、ヴィヴァルディ作曲の「四季」から「春」です。１７２５年にオランダのアムステルダムで出版されたこの曲は、正確には「ヴァイオリン協奏曲集・和声と創意の試み」第１集の冒頭にあります。作曲者本人が独奏するために書かれ、独奏ヴァイオリンと弦楽合奏が交互に演奏するものです。おそらくはヴィヴァルディ本人が書いたと思われる14行詩（ソネット）がついています。これを読みながら音楽を聞くと、情景が頭の中にうかんでくることもあり、人気があります。もっともよく演奏される第１楽章は、次のように構成されています。

「春が来た」（楽しい音楽）～「鳥が鳴く」（高い音でのさえずり）～「春が来た」～「泉のせせらぎ」

（波の音型）〜「春が来た」〜「稲妻と雷鳴」（激しい音楽）〜「春が来た」（少し悲しく短調で）〜「再び鳥が鳴く」〜「春が来た」……。

「春が来た」が何度も出てきますね。つまり何度も出る「春が来た」の間に、春のさまざまな情景がはさみこまれるように作られているのです。くり返し出てくる音型を「リトルネロ」と呼ぶので、「リトルネロ形式」という作曲法で書かれることになります。ぐるぐる回る感じの「ロンド形式」とほぼ同じですが、ロンド形式のほうは昔、踊りの曲だった、なごりをとどめています。

この曲をまだ知らない友だちに聞かせ、何を描いているかたずねてみると、おもしろい結果が出るでしょう。わりとあたりますよ。

詩と曲、どちらを先に作ったのかはわかりませんが、ピッタリ合っているので、まず詩を考えてから作曲をしたのでしょうね。

■個人的には、中学3年で習った「春のシャンソン」（岩佐東一郎作詞・高木東六作曲）が一番好きです。長い間楽譜を探していましたが、つい先日やっとみつかりました。昭和26年に発表されたラジオ歌謡だそうです。

第117回／2019年4月7日

♥曲のプレゼントって……——材料費はかかりません

大人向きに出版された楽譜を見ると、題名の下に小さいアルファベットで、何か書かれていることがあります。たいがいの場合、それは人の名前で、作曲家が曲をささげた相手の名前です。いわばプレゼントで「献呈」といいます。古くは王さまや貴族、時代が下がると自分の先生だったり、演奏家だったりします。勉強のために作る「習作」をのぞいて、一般に作曲家は無料で曲を書いたり、わたしたりはしません。そこには何らかの計算が働いていると考えられます。

バッハ一族の中でもひときわすぐれていることから、「大バッハ」といわれるバッハの「音楽の捧げ物」は、フリードリヒ大王があたえた主題をもとに、家に帰ってから書きあげ、大王におくったものです。これは明らかにその宮殿に勤めたい（あるいは自分の子どもを勤めさせたい）という売りこみが感じられます。

ベートーヴェンの「ワルトシュタイン・ソナタ」や「大公トリオ」は、それぞれ自分を援助してくれるワルトシュタイン伯爵とルドルフ大公（二人とも生徒でもあった）に「これからもよろしく」という意味をこめてささげた曲です。ただ、「エリーゼのために」は、女性の名前ということはわかっていますが、その人との関係は不明です。曲をめぐっては、いいかげんな推測がたくさん残っています。
ベートーヴェンやモーツァルトは、先生にあたるハイドンに曲をささげていますが、感謝の気持ちに加えて、「仕事や生徒をまわしてください」という願いも、言外にこめられているのでしょう。ショパンやリストのピアノ曲に何人もの貴婦人の名前がみられるのも、弾いてほしいと思う以上に、彼女たちが開くサロン（小部屋）での演奏会に、また呼んでください、という意思表示なのです。

もちろん、純粋にその人に感謝したり、お祝いの意味で曲をささげたりする場合もあります。エルガーが奥さんに捧げた「愛の挨拶」や、多くの作曲者が友人のために書いた（ときには詩も）輪唱曲（カノン）などはそうでしょう。

ところで、あなたは誕生日のプレゼントが曲だったら、どう思いますか？　お礼はちゃんと言いましょうね。

■何人かに曲を捧げてきましたが、まだだれからもお返しを受けていません。有名な作曲家たちはどうだったのでしょう？　本を出版したときに献呈することもあります。この本はだれに捧げたかというと……最初のほうに書いてあります。

第118回／2019年4月14日

♥ワルプルギスの夜はさわがしい

——ヨーロッパって楽しそう！

4月30日は何の日か、ご存じですか？

平成最後の日……。今年に限って日本ではそうですが、ヨーロッパでは「ワルプルギスの夜」と呼ばれるお祭りのある日なのです。お祭りといっても、少し不気味で、ちょうど秋のハロウィーンの春バージョンと考えてさしつかえありません。ドイツの東のほうにブロッケン山（1141メートル）があり、日が暮れるころになると、そこに魔女たちが集まって宴会を開くという言い伝えがあるのです。

この山ではときどき、霧や雲に映った人間の影のまわりに、虹のような光の輪ができることがあり、昔からあやしい場所だと思われてきました。近くのターレ村には、魔女が踊る広場や、悪魔のひづめのあとが残っています。しかし、魔女たちが集まるという事実はありません。この日をさかいに完全に春になるということで、言いかえれば、冬が最後の猛威をふるう日だったのです。ヨーロッパの4月は、仮に花が咲いていたとしても、雪やあられがとつぜん降ったり、嵐になったりします。ヴィヴァルディの「四季」の「春」にも、にわかに嵐が来る場面がありますね。つまり、春と冬が戦っているというわけです。

こうした考え方はキリスト教が広まる以前にあったもので、後に「聖女ワルプルガ」の名前から祭りの名前がつけられました。彼女は8世紀に実在した人で、亡くなってからキリスト教の「聖人」と定められた日が5月1日だったのです。大昔はだれも外に出ない夜だったのでしょうが、近年はたき火やたいまつを燃やしたり、仮装して悪ふざけをしたりする風習に変わりました。音楽作品では、にぎやかで少しこわい感じの曲として書かれており、グノー（1818〜93年）のオペラ「ファウスト」では、バレエの見せ場となっています。また、ムソルグスキーの「はげ山の一夜」、ストラヴィンスキーの「春の祭典」も、ロシアにおけるワルプルギスの夜のような春の儀式が描かれています。

今とちがって娯楽が何もなかったので、こうしたお祭りを楽しんだのでしょうね。夜が明けて5月1日は「メーデー」で、完全に春になったことを祝うのです。

■ターレ村には、1980年代に行ったことがあります。まだドイツが統一されたばかりで、旧ドイツ圏は道の舗装も不完全で、大変な山奥という感じがしました。リフトで山頂まで登り、おみやげに魔女のあやつり人形を求めました。

第119回／2019年4月21日

♠平成の音楽をふり返って
――わりと平静でした

この30年間をふり返ると、日本の音楽界はあまり変化していないように感じられます。その前の昭和時代（1926～89年）は戦争をはさんで、前半と後半ではいちじるしく変わったのでしたが、平成の時代は、昭和の後半からの発展がそのまま続いているように思います。クラシックとポピュラーの融合も、電子機器による演奏や作曲も、ミュージカルの流行も、昭和末期から続いている現象です。アニメソングなど子ども向きの歌も多く作られましたが、記憶に残っているのは「千の風になって」くらいでしょうか。

平成の時代は悲しいことに、地震や洪水などの自然災害が何度も起こりました、そのたびに文部省唱歌「故郷」が歌われ、まるで第二の国歌のようになりました。来日する演奏家も、かならずといっていいほどアンコールで取りあげ、全員で合唱するならわしです。これを機会に、昔の話がほり起こされることを期待しましょう。

また、作曲家の生まれた年や、亡くなった年から何年かたった節目を「生誕○年」あるいは「没後○年」のような形で記念することが多くなりました。これまた、私たちの知識がふえるいい機会ですね。

現在活動している作曲家は多くなりましたが、昭和のころとはちがい、その人の専門性を強く打ち出しています。以前はモーツァルトら古典派の作曲家のように、得意でも不得意でも、すべての分野の曲を書いていたものですが、きらいなものは断るという姿勢がはっきりしてきました。そして、現在の音楽の基礎を作った「戦後第一世代」と呼ばれる作曲家たち──團伊玖磨、黛 敏郎、中田喜直、大中 恩といった人たちが世を去ってしまい、それを引きつぐ存在はいまだに現れていないといっていいでしょう。

コンピューターが行きわたり、楽譜を手で書くことがへりました。さらに、演奏の場で使う楽譜も紙ではなく、画面を見ればいいようになりました。しかしそのために、音符を書くための規則を知らない人がふえたり、出版された楽譜に自ら書きこんで、曲を覚える、という習慣が消えつつあったりするのは、はたして良いことでしょうか。令和時代にその答えが出るのを待ちましょう。

■令和になって2年目。この文章をまとめている現在、世界中はコロナウイルスの脅威にさらされています。音楽文化は停滞していますが、この期間を抜け出したときこそ、新しい令和の音楽生活が始まるのです。みんなでがんばりましょう。

第120回／2019年4月28日

♥お子さまのための音楽 ——手抜きはしていません!

本当に子どものことを考えて作られた曲は、子守歌を別とすれば、「ロマン主義の時代」と呼ばれる19世紀後半になるまでほとんどありませんでした。例外としてモーツァルトが亡くなる直前に雑誌にのせた歌曲「春への憧れ」（日本では「5月の歌」として有名）があります。しかし、これは上流階級に属する親のみが楽譜を買って、わが子にあたえることができた時代のことです。

18世紀後半から19世紀になると、フランス革命や産業革命といった改革がヨーロッパを中心に起こり、一般の人たちの生活水準が上がりました。こうなると多くの人に自由な時間ができ、子どもに目を向ける余裕が出てきました。子どもたちは学校にかようことが義務づけられ、音楽の授業を受けるようになったり、ピアノを持つ家がふえたりして、ここで初めて子ども向きの曲が生まれます。バイエルやブルクミュラーが書いたピアノの練習曲集は「初心者のため」と断っていますが、バッハが書いた同じような作品とは明らかにちがい、子どもの感情や能力を考えて作られていることがわかります。とくに、シューマンとチャイコフスキーが書いた「子供のためのアルバム」は、名曲がそろっています。

　しかし、子どもが聞くための音楽は、なかなか現れませんでした。録音や放送がなかったころは、音楽会に行って直接音楽を聞くしかなく、そのためには夜遅くに都会へ出なければならなかったからです。これには、社会主義の国、とくにソビエト連邦（今のロシア）が貢献しました。すべての子どもに等しく音楽鑑賞の機会をあたえようと、作曲家にお願いして子ども向きの管弦楽曲を作らせたのです。結果として、プロコフィエフの「ピーターと狼」、カバレフスキーの「道化師」などが生まれました。子ども向きだからといって、決して手をぬくことなく、作曲家の個性がみなぎっている作品です。

　現在は日本でも、義務教育の間に何回か音楽鑑賞教室が設けられています。また、録音で何でも聞けるようになりました。でも、それをあたりまえと思わずに、1曲ずつを楽しんで、注意を払って聞いていただきたいものです。

■やさしい曲を演奏するのが、実は一番むずかしいのだという言い方をする人がいますが、それは技術をきわめた人が言うことで、むずかしい曲のほうが大変なのです。でも音楽は各段階に応じた難易度の曲がありますから、誰でも楽しめますね。

第121回／2019年5月5日

♥ロマはすっくと立っている……

——日本では会えない(と思う)

ユーラシア大陸(ヨーロッパとアジア全域)などを移動しながら、1か所に住み続けないで生活している少数民族を「ロマ」と呼んでいます。以前は別の名称で呼ばれていましたが、彼らがそれを拒否してうったえたため、現在は「人間」という意味の「ロマ」になりました。もう一つ、自分たちの祖先が生まれた場所がローマだからという説もあるのですが、実際にはよくわかりません。外見からはインドあたりではないかと推測されています。金属片や小さな鏡をぬいつけた衣装にも、そんな感じが現れています。

中世にインドからヨーロッパに向けて移動してきたとされているため、その文化は長い距離を移動している間に通過した国々の、さまざまな影響を受けたのでしょう。東洋やイスラム文化のにおいがします。

その音楽も一度聞いたら忘れられない特徴があり、ヨーロッパのクラシック音楽にもたくさん取り入れられています。まず、金属の打楽器(シンバル、トライアングル、鈴、タンバリン——枠に小さな金属がついている)を好んで使っていることです。次に、増2度(半音3つ分)音程が1オクターブに2回出てくる、「ロマ音階」と呼ばれる、哀愁を帯びた感じの音階を使っていること。さらに、ヴァイオリンや歌の節回しに細かいコブシ（ゆれ動き）をつけること――などがあげられます。

彼らは、昔は馬車、今は車で移動します。祭りや農繁期の町や村に着くと、農作業を手伝い、女性は歌と踊り、男性はヴァイオリンやギターでにぎわせます。年を取った女性は占いで収入を得ます。生活がとてもきびしいので、早く老いがやってくるようです。その歌や踊りは主に「チャルダーシュ」と呼ばれています。テンポが遅い部分（ラッサン、またはラッスー）では、自分たちの悲しい運命をうったえ、速い部分（フリスカ、またはフリッス）ではそれをふり切るように興奮のきわみにさそいます。

ロマン主義の時代は「国民主義」とも呼ばれ、その国独特の音楽を探ろうとしました。もう探りつくしてしまったドイツなどの作曲家はここで新たにロマの音楽に注目し、数多くのチャルダーシュ風の「ラプソディー」という曲を書いたのです。ロマに感謝しなくては！

■旧名ジプシーと呼ばれていましたが、これは蔑称で、現在では使えない言葉です。Bが教育番組に出始めのころ（1985年）は確かにそう言っていましたが、4年目に「今回からはロマと言うように」と指導を受け、字幕も変わりました。

第122回／2019年5月12日

♥転んでもただでは起きないピアノ音楽の父

——おみごと！

ピアノを習う人が、かならず一度は用いる教科書「ソナチネ・アルバム」の中心人物は、ムツィオ・クレメンティ（1752～1832年）です、名字の終わりが「i」ですから、イタリア人です。

しかし、彼が故郷にいたのは14歳までで、その後はひんぱんに住まいを変えました。そんなところは4歳年下のモーツァルトと似ています。クレメンティはモーツァルトと少なからぬ因縁があります。1781年にオーストリアのウィーンで、ヨーゼフ2世の前でピアノの腕比べをし、負けてしまったのです。ですが、モーツァルトはクレメンティの作った主題を無断で使って、「魔笛」序曲を書いていますから、気になる相手ではあったのでしょう。

この後、クレメンティは人前での演奏をきっぱりとやめ、ロンドンを拠点にピアノ指導、作曲（先のソナチネは生徒のために）、出版……と仕事を変え、ベートーヴェンの楽譜も出版しました。1798年からは「ロングマン&クレメンティ」というピアノ製作会社の経営者にもなりました。つまり、ピアノを弾く側から売る側へと転身したわけです。

50歳から8年間は社員や生徒を連れてヨーロッパ中にとどまらず、ロシアのサンクトペテルブルクにまでピアノのセールスに行きました。この同行者の中に、アイルランド生まれのジョン・フィールドがいました。この人は「夜想曲」（ノクターン）という題のピアノ曲を初めて書き、後のショパンに影響をあたえています。フィールドの生徒には、そのショパンの師となるカルクブレンナー、難易度の高い練習曲を書いたクラマー、モシェレスらがいます。61歳からは設立されたばかりのロンドン・フィルハーモニック協会の指揮者を務め、当時としてはかなり長寿の80歳まで生き、「パルナッソス山（音楽の女神が住む）への階段」という全3巻の、これまたむずかしい練習曲などのピアノ曲を書き続けました。

それなのに、ドビュッシーはこの曲を、サティは一番有名なソナチネを茶化すなどして、かわいそうです。少なくとも彼がいなかったら、ピアノもピアノ曲も現在のようには広まらなかったはずです。少しは敬いましょう！

■クレメンティは、当時は何の職業だと思われていたのでしょうか？ その時々で肩書きを変えていたにちがいありません。ただ作品は残るので、現在は作曲家と呼ばれているわけです。ところでBは、何者だと思われているんでしょうね？

第123回／2019年5月19日

♥ジャジャジャジャーンと登場「運命」

――しつこいけど

交響曲（シンフォニー）は、現在ではいかめしい曲として、演奏会の最後をかざる作曲家の代表作です。しかし、作られ始めたころは決してそんなことはなく、むしろ聞きやすい曲だったのです。たとえば、ハイドンには104曲の交響曲がありますが、勤め先の主人である貴族が客をもてなすための音楽として、会食の場などで演奏されていました。彼の影響を受けたモーツァルトは41曲を書きましたが、基本的には同じ傾向で、4楽章のそれぞれが切りはなされて使われたりしていました。

しかし、ベートーヴェンは九つの交響曲を慎重に書き、第3番「英雄」には葬送行進曲の楽章を入れたりしています。もはや、楽しみのためだけに聞く曲とはいえませんが、とくにそれが強く表れたのが、第5番「運命」（1808年発表）でした。数ある交響曲の中で、いや、これまで作られた音楽の中で、もっとも有名といってもいいこの曲は、彼の耳の病気が進むのとちょうど並行するように書かれました。

第1楽章の始まりの四つの音は、「恐ろしい運命が扉をたたく」と、彼が弟子に言ったところから、「運命の動機」と呼ばれています。なんと、この音型だけで作られているといってもよく、おだやかになった

第2主題の部分にも、低音にそのリズムが聞かれます。このように一つの音型だけにこだわって作曲する方法を「主題労作」と呼びます。一つの音型が楽曲の中で何度も現れ、楽曲の全体的な性質を決定し、聞く人に強い印象をあたえます。

第1楽章は運命に抵抗するようすを描き、第2楽章は安らぎを求める気持ちが表れていますが、満たされることなく次へ続きます。第3楽章のスケルツォは、自分をあざけり笑う意味を持ちます。最後の第4楽章では戦いに勝利した喜びの気分を十二分に表しています。そのどちらにも「運命の動機」が思い出として現れます。

これほどまでに個人的な感情を曲に盛りこむことは、ベートーヴェンが初めて行ったことでした。聞くたびに勇気をあたえてくれる、すばらしい曲なのです！

■司会をしながらオーケストラを指揮することがよくありますが、この曲だけはしゃべってすぐに振れません。一度舞台そでに下がって、気分を変えて出て行くのです。それほどまでに神経の集中が必要な、指揮者にとって恐ろしい曲です。

第124回／2019年5月26日

♣コードネームは便利だけど、でも……

――完ぺきではありません

小型の歌集でメロディー（旋律）しかのっていない本や、ポピュラー曲などで伴奏が正確に決まっておらず自由に演奏するタイプの曲などに、英語のアルファベットが書かれていることがあります。「これは何だろう」と思った人もかなりいることでしょう。それは「コードネーム」といって、「和音」を表す記号です。19世紀の後半にアメリカで考え出されました。

実はそれまでヨーロッパでは、和音を示すのに「Ⅰ」「Ⅴ」などのローマ数字（大文字）や、「5」「7」などの算用数字を使っていました。しかしこれはまず、その曲が何調であるかを知らねばならず、「楽典」という楽譜についての勉強をしなければ理解できませんでした。しかし、コードネームは、そのアルファベットはたった一つだけの和音を示すので、わりと簡単に覚えられるのです。

中でももっとも簡単なのは、「三和音」という三つの音だけでできているものです。Cは「ド」のことですから「ドミソ」、Gは「ソ」のことなので「ソシレ」を表します。ただし、これは明るい響きの和音（長三和音）のことです。暗い響きの和音（短三和音）は「Cm」（ミがフラット）、「Gm」（シがフラット）

のように、小文字の「m」をつけて「マイナー」と呼びます。四つの音からできている「ソシレファ」などは「七の和音」と呼ばれているので、7の数字を後につけて「セブンス」といいます。

結構覚えることがあるな、と感じるかもしれません。しかし、ピアノでは鍵盤の場所、ギターでは弦を押さえる手の形さえ覚えてしまえば大丈夫です。どんな場合でも、すぐにその音が出せるようになります。パート譜などでその曲の全体像が見わたせない場合でも、とりあえずはその響きを出せるので便利だということで、またたく間に広まり、今では教科書にも取り入れられています。

しかし本当は、ほかのパートが何をやっているのか、そしてその和音はどういう意味があるのかを考えて演奏すべきなのです。2回目以降に演奏するときには、慣れてきているはずですから、音楽全体を意識して聞くようにしてみてください。

■和音記号（Ⅰ、Ⅴ）、数字付低音（5、7）などに比べてコードネームは簡単で、それが20世紀以降広く使われた原因ですが、その瞬間の和音だけを指示する刹那的な欠点があります。まあ、前の二つにも欠点はありますが。

第125回／2019年6月2日

♠コレペティートルはオペラの先生

——語学も必要

オペラやミュージカルのように、上演時間が長い舞台作品の場合は、多くの出演者が参加し、けいこも長期間にわたります。本番での指揮者が全部のけいこに出席できれば、それが一番いいのですが、外国での仕事があったりして、なかなか出られません。その場合は副指揮者が指揮し、伴奏はオーケストラの部分を「けいこピアニスト」と呼ばれる人が弾きます。ところが、その二人がいないときや、歌い手のだれかの勉強が遅れているときには、「コレペティートル」と呼ばれる係がけいこをつけます。

ピアノを弾きながら指導するので、ピアニストかというと、あいた手で指揮をしたり、鼻息で合図をしたりしますから、指揮者もかねています。それどころか、指揮者が求めることを伝えるために歌って聞かせたり、言葉の指導をしたりします。曲中に語りの部分（レチタティーヴォ）があるときは、本番でチェンバロを弾くこともあります。つまり、小学校の先生みたいに何でもできなければ務まらないのです。

外国のオペラ劇場では昔からこの役割はしっかりとあって、「カルメン」を作曲したビゼーの職業もそうでした。しかし、日本でこの名称が初めて使われたのは1975年ごろのことです。最初は何のことかさっぱりわからなかったものです。歌劇団の事務所にたずねたら、「あなたのような仕事をしている人のことです」と返されましたが……。

現在では、日本でもこの役目はやっと知られるようになりましたが、まだ呼び名は定着していません。公式に認められた訳語もなく、「練習指導者」というのが一番近いでしょうか。でもこの呼び名だと演技にも関わっているように思われるので、「音楽コーチ」というのが正しいかもしれません。

ピアノを習っている人は、将来の仕事の一つをコレペティートルに定めてもいいでしょう。ただ、気をつけておかなければならないのは、ダイナミックに弾こうとするあまりに、ピアノの技術が粗っぽくなってしまうことです。また、早い時期に語学を勉強し始めることも必要です。私はそれが不得意だったので、なるのをあきらめました。

■語学が不得意だったり、他人を指導するのがはずかしい人は、稽古ピアニストの役割があります。稽古中の発言力が低いだけで、仕事の達成感は変わらないでしょう。そして慣れたらコレペティートルに昇格すればいいのです。でも語学って、すぐにはムリかも……。

第126回／2019年6月9日

♥オッフェンバックは「オペレッタの父」

——運動会の父でも

運動会のかけっこで、景気をつけるために流される音楽は「天国と地獄」の「ギャロップ」という場合が多いようです。底ぬけに楽しいこの曲を作ったのは、ジャック・オッフェンバック（1819〜80年）で、その名字は生まれたドイツの町、オッフェンバッハから取られています。実は本名ではないのですが、その子孫もみんなこの姓を名乗っています。彼は少年時代にフランス・パリに移り、パリ音楽院でチェロを学んだものの、あまり成績は良くなかったようです。しかし、卒業後、オペラコミック座（小規模なオペラを上演する劇場）の管弦楽に参加したところから、作曲家としての道が開けました。

そして、1850年から5年間、まずフランス座（今の国立劇場オデオン座の前身）の座長となって、自作のオペレッタ（せりふ入りの娯楽用オペラ）を発表し始めました。1955年にはついに、念願の自分の劇場をパリのシャンゼリゼ通りに開きました。そのため彼は「シャンゼリゼのモーツァルト」と呼ばれるようになります。もっとも、モーツァルトに比べるとその作品の範囲は限られていますが、あかぬけてゆかいな感じは似ていますね。

1958年には代表作「天国と地獄」を発表するのですが、これは原題を「地獄のオルフェ」といい、ギリシア神話のまじめな愛の物語をちゃかしたものです。もとの話では、夫のオルフェは亡くなった妻のユリディスをあの世から連れもどそうとしているのですが、「地獄のオルフェ」では世間体のためにしぶしぶ行くという話になっています。ユリディスのほうも地獄の神たちと勝手なことをしています。このためにお客の反感を買ったことは事実ですが、おもしろさが何よりも勝ったのです。しかし、本人としてはより芸術的に高いとされているオペラに向かい、「ホフマン物語」を長い時間をかけて書き続け、ほとんど完成させて世を去りました。三つの物語が続く画期的な作品で、現在までさまざまな演出で上演され続けています。こうした本格的な作品でも、彼の持ち味である軽妙な楽しさを、ちゃんと聞くことができますよ。とくに自動人形が歌う場面はおもしろいので、そこだけでも見てください。

■ヴォーカルスコア（ピアノと歌の楽譜）を見ると単純で、はたしてこれで音楽作品として成り立つのか心配になるほどですが、舞台にかけられて、しかも管弦楽で演奏されるとその効果は抜群です。やはり劇場向きの人ですね。

第127回／2019年6月16日

♥雨の音楽は地域限定……

――日本が世界一

日本の広い範囲では、6月になると梅雨になり、雨の日が多くなります。雨をテーマにあつかった音楽にはどんな作品があるのでしょうか。

天候を音で表すというのは、「描写音楽」の一種です。描写音楽が多く書かれたのは、貴族たちが楽しみのために聞いていたバロック時代や、わかりやすい内容を求める一般の人たちが音楽を聞くようになったロマン主義の時代です。

探してみると、バロックではヴィヴァルディ作曲の「四季」から「冬」の第2楽章にあたる「恵みの雨が降って、植物の芽生えを準備させる」が有名です。冬ですから雪の描写があたりまえなのでしょうが、作曲者が、冬がそれほど寒くないイタリア生まれだったところから、こうした発想が生まれたのでしょう。しかし、雨が降るようすを描写したのかというと、ずっと続く同じ型の伴奏がそれらしいくらいで、正確な描写ではないようです。ほかに嵐の曲はあっても、単独での雨の曲はみつかりません。

ロマン派の作曲家では、ブラームスのヴァイオリン・ソナタ第1番が「雨の歌」と呼ばれていますが、

これは先に書いた同じ題の歌曲を使ったためで、描写音楽ではありません。むしろもう少し後になって、フランスの作曲家ドビュッシーのピアノ曲「雨の庭」（「版画」より）や、「朝の雨に感謝するための」（連弾曲「六つの古代の碑文」より）が、フランス人が体験している弱い雨のようすを上手に描写しています。

しかし、どこの国よりも日本に例が多いのは、さまざまな雨の降り方があるからでしょう。

2006年に「日本の歌百選」の1曲に選ばれた「あめふり」（中山晋平作曲）は、楽しい感じの童謡です。やりきれないほど暗い感じで長い「雨」（弘田龍太郎作曲）もあります。ほかに、「しぐれに寄する叙情」（平井康三郎、大中恩作曲）、「雨のあとさき」（團伊玖磨作曲）、男声合唱の定番といわれる組曲「雨」（多田武彦作曲）までそろっているのは、日本人がどれほど雨に関心を持っているかを示しています。何しろ「雨」という字を、あめ、あま、う、ぐれ、さめ、ゆ……などと、いくつにも読みかえるのですからね……。

■ヨーロッパに雪の絵は多いのですが（ブリューゲルなど）、雨の絵は印象派を待たなければなりません。その意味でもヴィヴァルディは先進的でした。また日本の民謡（宮城県の「さんさ時雨」など）にもたくさん歌いこまれています。

第128回／2019年6月23日

♣作品番号はだれがつけるの？

——本人じゃないことが多い

作曲家の作品を整理するための番号が「作品番号」です。18世紀までの作曲家はあまり自分の曲を重要と考えなかったようで、楽譜を次々と書き飛ばしていました。そのため、いつ書かれたのか、順序などがわからなくなっていました。

モーツァルトは例外的に、自作の主題をノートに書きためていましたが、それでも省略されてしまった曲もありますし、亡くなる寸前の曲は残っていません。ベートーヴェンは自分で作品番号をつけたもっとも初期の作曲家ですが、本人が重要でないと思った曲——たとえば「エリーゼのために」などは、楽譜が出版されていてもつけられていません。出版された順を優先してしまった例もみられます。

作品番号は一般に「Op.」（ラテン語の「オープス＝作品」）で示されます。ベートーヴェンの作品番号なしの曲は、現在では「WoO」（ドイツ語で作品番号なし）で示されています。有名な作品番号には、モーツァルトの全作品をオーストリアの研究者ケッヘルが年代順にまとめて整理した「K.」（または「K.V.」）番号があります。発表した後に新しく発見されたり、本人の作品でないことが判明した曲には、新しい事実をa,bなどの記号で記してあります。ただし、K.1の「メヌエット」と、K.626の「レクイエム」の番号はそのままです。ほかには大バッハ（ヨハン・セバスティアン・バッハ）が「BWV」（バッハの作品目録）の名称を持ち、これは20世紀にシュミーダーが研究した結果です。作品数がきわめて多いハイドンは、ホーボーケンが31部門に仕分けしました。Hob.Ⅰ:1は交響曲第1番（1759年作曲）です。歌曲王シューベルトは「D.」（ドイチュ番号）で、これも研究者の名前がつけられていて、一応作曲順です。シューベルトにもOp.はありますが、それは出版された順で、Op.1の「魔王」はD.328にあたります。さらに、「WWV」はワーグナーの、「B.」はドヴォルザークの作品番号として、それぞれ定着しつつあります。

ところで、オーストリア作曲家連盟の総裁を務めたジーツィンスキーの「ウィーンわが夢の街」はOp.1です。その後の作品はほとんど演奏されません。作品番号をつける意味があったのでしょうか。

■ジーツィンスキーもそうですが、ほかにもランゲ、イエンゼンなどロマン派のピアノ曲の作曲家たちは、克明に作品番号を記していますが、弾かれる曲がわずかでかわいそうです。作品番号は全作品を見渡す場合に必要なのですから。

第129回／2019年6月30日

♥「たなばたさま」の伴奏を考えましょう

――編曲の始まり

7月7日のために作られた曲があります。「たなばたさま」という題の唱歌で、1941年（昭和16年）に教科書にのりました。歌詞は、権藤はなよという幼稚園の先生が書いたものを、当時の有名な詩人、林柳波がおぎないました。曲は、音楽教育界で力のあった下総皖一です。

七夕はもとは中国の伝説です。おり姫とひこ星が、自分の仕事をなまけて会ってばかりいたので、天帝（一番えらい神さま）がおこって、二人をさえぎるように、間に天の川を流しました。二人は1年に1回、7月7日の夜だけ、「かささぎ」という鳥の翼を橋にして会えることになりました。でも、雨が降ると鳥は飛べないので二人は会えません。そこで人びとは晴れるように祈りました。たんざくに願いごとを書いて笹につるすと、かなうといわれています。この歌詞にも出てきますね。

曲は音階の第4音「ファ」と第7音「シ」が入っていない「四七ぬき旋法」で作られています。戦前の唱歌に多くみられますが、この曲はとくにやわらかな感じで、歌詞のイントネーションにぴったり合っています。ただ、伴奏はいろいろな編曲が使われており、興味のある人は新しく作ってみてもいいと思います。ふつうはヘ長調で歌われますが、ハ長調に直して説明しますね。そのほうが、わかりやすいからです。

曲のはじめと終わりは「ドミソ」の和音と決まっています。また、前半の終わりは「ソシレ」です。「ソシレ」の次は「ドミソ」がきます。終わりの一つ前も「ソシレ」です。すると「お星さまきらきら」のところだけ、別の和音がほしくなり、そこは「ファラド」です。これで全部の和音が決まり、よく聞く伴奏の音になるはずですが、それだけではあまりにふつうすぎます。そこで、「のきばにゆれる」のところと、「きらきら」のところに、何か別の和音を考えてみてほしいのです。

ピアノの前に何人かが集まって、だれかに旋律を弾いてもらって、みんなで新しい和音をさぐってみてください。いろいろ考えられますよ。これが「編曲」という作業の始まりなのです！

■むずかしいのでやさしく直してください、と新聞社から注文を受けたのがこの回です。こうした実際の音のことを文章で書くのはむずかしいことなのです、有名なメロディーをもとに、あなたなりの編曲を施してほしいと思いました。

第130回／2019年7月7日

♥沖縄の音楽はふしぎな感じ……——ドミファソシド

日本の一番南西にある県が沖縄です。本島を中心にいくつかの島からできています。しかしその文化は、本土と呼ばれる北海道、本州、四国、九州とはかなりちがっています。

まず言葉ですが、古い時代の日本語（大和言葉）が残っています。ちょっと聞いただけでは、標準語を使っている人たちには理解しにくいものです。わらべ歌「ベーベーぬ草かいが」の歌詞をあげてみましょう。

いったーあんまー　まーかいが（おまえの母さん　どこへ行った）

べーべーぬ　草かいが（ヤギの食べる草かりに）

べーべーぬ　まさ草や（ヤギの好きな草は？）

はるぬ　わかかんだ（畑の若カズラ）

いかがですか？　意味がわかりますか？　ちなみに私は聞いただけでは全くわかりませんでした。

そして、旋律も変わっています。本土の民謡音階にはまず出てこない7番目の音「シ」が堂々と出てきます。西洋の音階でこの音が使われる場合は、かならず次に「ド」の音へ上がるのですが、この歌では下がってしまいます。これが何ともふしぎな感じで、沖縄の言葉の抑揚（音の調子を上げたり下げたりすること）と合っているのです。拍子も3拍子で、日本古来の音楽にはみつかりません。

沖縄は19世紀までは「琉球王国」と呼ばれ、位置的に近い中国の影響を受けていました。色彩に原色を多く使うことや、服装がどことなく似ています。20世紀のフランスの画家、マティスの絵のように生き生きとしています。しかしそれだけでなく、音楽ははるか南のインドネシアとの共通点も指摘されています。また、南太平洋のパプアニューギニアで行われる、草をまとった神さまがやってくる行事も、沖縄の祭り「アカマタ・クロマタ」と似ています。太平洋を南から北に向かって流れる黒潮に乗って伝わってきたのかもしれません。

「三線」と呼ばれる、三味線の祖先にあたるヘビの皮を張った楽器で演奏される音楽は、私たちをうきうきした気分にさせてくれるのです。

■現代日本の作曲家（三木稔、林光など）は、意図的に沖縄（琉球）音階をひんぱんに用います。極楽的な歓喜の表現や、困難を経て到達した平和な心情を表すようです。Bも非現実感を出すために、時おり使うことがあります。

第131回／2019年7月14日

♥「アイネ・クライネ……」は失敗作?!
——BGMとしては……

作曲家は、演奏会のように芸術を鑑賞するための行事に曲を書いているのかというと、決してそうではありません。少なくとも18世紀いっぱいは、一般の人が聞ける音楽会はほとんどなかったのですから。大作曲家にも、宴会の伴奏や、自分の生徒の教材用に書いた曲がたくさんあります。

モーツァルトの作品の中で一番有名だと思われる「アイネ・クライネ・ナハトムジーク」（1787年）は「一つの小さな夜の曲」と訳されますが、実は、知り合いの貴族の館で開かれた宴会のために書かれたものでした。たのんだ人の名前は伝わっていません。

パーティーなどでは、初対面の人同士がうちとけて話せるように、何かの音楽を流しておく習慣があります。つまりその音楽は聞くための曲ではなく、ザワザワした感じがあればそれでいいのです。モーツァルトも本当は、ちゃんとお客さんが聞いてくれる演奏会の曲を書きたかったはずです。しかし、31歳のころはかなり貧乏になっていたので、どんな依頼でも受けていたのでした。「アイネ・クライネ・ナハトムジーク」が弦楽合奏でも、たった四人でも弾くことが可能という編成も、演奏者の数が決まっていなかっ

たためではないでしょうか。

全曲は4楽章でできていますが、実は書きかけの楽章が残っているので、完成した部分だけでまとめたとも考えられています。第1楽章は堂々としたソナタ形式（古典派でもっとも重要な作り方）の曲、第2楽章がロマンチックで美しい速度のゆるやかな曲、第3楽章は踊りの曲で、ワイルドな感じの曲想のメヌエット、第4楽章は急速なロンド（同じ曲想が何回も現れる）です。これ以上完ぺきな書き方はないといわれるほどの名曲です。

しかしこの曲の謝礼は多くなかったようです。なぜなら、これほどの完成度をほこる曲を聞くと、宴会のお客さんたちはしゃべったり食べたりするのをやめて、音楽に聞き入ってしまうからです。それでは使い道としては全く無意味ですね。

天才でも、ときとして認められないこともあるのです……。かわいそうに。

■とても急いで作られたことは、第4楽章のロンドが、どの部分も全く同じ曲想でできていることから推察されます。書きかけの楽譜が全集にのっていますから、興味のある人は、それの先を続けて完成させてみてください！

第132回／2019年7月21日

♠夏休みこそ音楽の季節

——一年中夏休みの人も

夏休みは音楽とじっくり向き合う良い機会だと思います。まず管弦楽団などでは、小学生向きの「ファミリーコンサート」をこぞって開いています。司会者がお話ししたり、みんなで歌ったり、指揮者体験ができたり。バレエやオペラの名場面も見ることができるでしょう。暑くてすずしくなりたいなと思ったときは、おうちの人にたのんでホールに連れて行ってもらいましょう。ただし、海や山ではないので、かけ回ったり大声を出したりするのはひかえてくださいね。

おうちでも学校の音楽の時間に聞いた曲で、興味をひかれた曲があれば、ぜひ全曲を聞いてみることをおすすめします。限られた授業時間内では、どこかの楽章だけしか聞けませんから。値段の安いCDも売られていますし、図書館などで借りることもできるでしょう。そして、その印象を絵や文章にして、夏休みの自由研究の宿題があるなら、それを出してみてください。オーストリアのクリムトやフランスのレジェといった画家は、音楽会のようすを絵にしています。

絵といえば、「図形楽譜」（演奏のイメージを音符ではなく、絵や図などで描いたもの）を作るのも、時間があるときに最適です。たとえば、水の音や雨や風の音を表すとどうなるか、音の高さや長さ、強さはどう書けば他人にわかってもらえるか、などを友だちと相談して大きな画用紙に書くのです。赤色は強くとか、横長の線は長くとか、ある程度決めておきます。そしてその楽譜を見て演奏します。何回かやってみて、聞いている人にどの部分をやっているのか、あててもらいましょう。

もちろん、本格的に作曲をしたい人もチャンスです。楽器を弾いたり、歌ったりした音を録音して、ほかの人に聞いてもらえばいいのです。ぜひやってみてください。

ただ「作曲」というからには、ある程度再現が可能でなくてはなりません。だれかに書き取ってもらえばすむことですが、いっそのこと録音を聞いて覚えてしまえばいいのでは?

あなた向きの音楽を、この夏に楽しんでください。

■家族が長く顔を合わせている時間がある場合は、それぞれが演奏できる楽器を決めて、1曲を集中的に練習するのに良い機会です。仕あがったら市民音楽祭や、家族音楽コンクールなどに出場するのも、いい経験になりますよ。

第133回/2019年7月28日

♥ぼくたちも作曲家親子……スカルラッティ
――他にもいっぱい

親子で音楽家だった人たちは、それほどめずらしくありません。バッハ、モーツァルト、ヨハン・シュトラウス、ミュージカルを書いたオスカー・ハマースタインといった人たちが有名ですが、なぜかどちらか一方が大作曲家として認められているようです。バッハ以外は、子どものほうが名を知られています。

ところが、それぞれが全く同じくらい有名な例があります。スカルラッティ親子です。父はアレッサンドロ（1660〜1725年）。声楽曲を得意とし、イタリアのナポリで活躍しました。息子はドメニコ（1685〜1757年）で、器楽曲が多く残っています。おたがいにちがう分野だったからこそ、うまくいったのでしょう。

二人の生きていた時代は、バロック時代の中期から後期にかけてでしたから、まだ教会の力がとても大きく、宗教曲も書いていました。しかしそれは義務という感じが強く、父はオペラの作曲に向かいました。優秀な歌手を教育する街に住んでいたことも手伝って、「ナポリ派」と呼ばれるオペラ作曲家たちの「祖」といわれるようになります。「ダ・カーポ・アリア」という「ABA」の構成になっている三部形式の歌や、「イタリア風序曲」という「急・緩・急」の三部からなる管弦楽曲を発案し、歌手と観客に広く喜ばれました。その歌は現在、「古典イタリア歌曲」という初心者向きの教材として使われています。

一方、息子のドメニコは、生涯の半分ほどをポルトガルとスペインでくらし、スペイン王妃の家庭教師となって、彼女のために555曲ものソナタを書きました。すでにピアノは発明されていましたが、王宮にはチェンバロがあったので、それはチェンバロ用の曲だと思われます。手の交差や同音連打など、さまざまな弾き方が試されており、社交性もあって短いので、独奏会のはじめに手慣らしとして演奏されることがよくあります。

しかし二人とも、多くの分野にわたって作品を残していますから、オペラとソナタだけでなく、ほかの曲も聞いてみたいものです。そうすれば、ちがいだけでなく似ているところもわかってくると思うのですが。

■前にも書きましたが、親が音楽家だと子は得をします。まずその環境や知り合いが多いし、何よりもデビューできるチャンスがあたえられますから。ただ、お互いに比較されるのが困るかもしれませんが。Bとしてはうらやましい限りです。

第134回／2019年8月4日

♥「田園」……こわい曲と同時に明るい曲も

――こわい部分もある

「運命」と同じ日に初めて演奏されたのが、交響曲第6番「田園」でした。オーストリアのウィーンにあるアン・デア・ウィーン劇場で開かれたベートーヴェンの演奏会です。この2曲は前の年から同時に書き進められていますから、よくもまあ、これほど性格のちがった曲をいっしょに作曲できたものだと感心するばかりなのですが……。

でも第5番「運命」は、恐ろしい運命と戦って勝利するという内容で、「田園」は、はじめの方に「田舎に着いて、晴れやかな気分がよみがえる」と書かれていますから、「運命」を書いている間に田園地帯に行ったのでしょう。

それにしても、いかめしい感じのあるベートーヴェンに、こんなにやさしく上機嫌な部分があるとは！　また、無理やり聞かせてしまうという強い意志の力が隠され、何となく聞くうちにさわやかな気分になってしまう音楽なのです。それは、わかりやすい作曲法を用いたためです。本来は純粋な音の組み合わせだけで作るのが古典派の交響曲でしたが、ここで初めて、自然界などの実際の音を取り入れたのでした。

たとえば、第2楽章の終わりで、木管楽器がさまざまな鳥の鳴き声を演奏します。第4楽章の「嵐」では稲妻と雷鳴をピッコロとティンパニが受け持ちます。第1楽章のはじめの低音は、田舎の楽器であるバグパイプの響きですし、弦楽器に現れる第2主題は小川の流れです。第3楽章は農民たちの踊りで、もしかしたら本当にあった曲かもしれません。第5楽章の始まりは、狩人の角笛の音そのものです。

作曲者が書いた題名を知らなくても、ほぼ正確にあてることができるでしょう。しかもそれが、ソナタ形式などの決まりにあてはまっているのです。この曲がなかったら、その後の「幻想交響曲」（ベルリオーズ作曲）や「モルダウ」（スメタナ作曲）も現れなかったでしょう。

しかし、初演では評判が悪かったようです。全部で5楽章もあって長いこと（ふつうは4楽章）、踊りの曲がメヌエット（宮廷舞曲）ではなかったことで、共感できなかったのかもしれません。最高傑作なのに……！

■「運命」は不得意で、自分からは演奏しないBですが、「田園」は大好きで何回も指揮をしています。指揮者の佐渡 裕先生と話したら、全く反対のことをおっしゃっていました。でもそれが演奏家の個性なのだと思っています。

第135回／2019年8月11日

♠子どもの能力をどう伸ばす？
——他人は口を出せない

近所に仲良くしているお宅があって、朝晩その前を通るのですが、小学2年生の少年がピアノを弾いているのが聞こえます。音の調子を整えていない古いピアノですが、その音色があまりに美しくてびっくり！音に芯があり、他人に聞かせようという意思が、はっきりと感じられるのです。進み方も早く、バッハの作曲として知られる簡単なメヌエットを弾いていたかと思うと、今度はベートーヴェンのソナチネを弾いていました。

発表会が近いというので、わが家にも来ていただいて聞かせてもらいました。習っている先生の教え方がやや古かったのでそれを注意すると、すぐに直すことができるのです。もっとおどろいたことは、初めて聞いた曲をすぐに歌ったり弾いたりできることです。その上、ほかの調に移して弾けるのです（たとえば八長調をへ長調に変えて弾くことができます）。ただし、ソルフェージュ（楽譜の読み書き）は習っていないのでドレミでは歌えませんが、代わりにどんな鍵盤楽器（たとえばオルガン）にもすぐになじめるのです。

だれが聞いても能力があるとわかると思うのですが、周囲の人が（先生にいたるまで）それに気づいていないのか、特別なことをしないでいることが、とてももったいなく思われました。しかし家族ではないので、彼の音楽教育について口をはさむことは許されません。

私自身も似たような子どもでしたが、その後、高度な音楽教育を受けなかったため、現在の地位であまんじているのです。だれかに導いてもらえばよかったのですが、今さら後悔しても遅いですね。しかし、専門家になるためにはかなりのお金がかかります。時間も自由にはなりません。そして本人にほかに好きなことができ、ピアノから遠ざかれば、残念なことにピアノの力はそこで止まってしまいます。それも運命なのでしょう。もちろん、専門家にならずに趣味としてやっていっても何の問題もありません。ただ、その子が成人したとき、自分にも音楽家としてかがやいていた時代があったのだということを、なつかしく思い出してほしいと思い、この文を書きました。

■この本人は、M君の甥にあたる松島丞助さんです。1年経った今もピアノは続けていますが、いつもそばでお母さまや、おばあさまが聞いています。それが一人で弾いても楽しくなったとき、彼が心からピアノ（音楽）が好きだといえると思うのです。

第136回／2019年8月18日

♥沈黙の恐ろしさ──M君との探検

夏休みはどこへ行きましたか？　私はイラストに出てくるM君といっしょに、南太平洋にある島国パプアニューギニアの山の中へ出かけました。イラストに出てくるN犬は連れて行けないので、M家にあずけて。でも代わりに木登りカンガルーや極楽鳥に会えて楽しかったです。旅行の目的は、山奥のゴロカ付近の村人が仮装するマッドマン（どろ人間）と会うことでした。かなり前に漫画や写真で見たその異様な姿に、くぎづけになってから、一度は直接見たいと願うようになりました。

「ハイランド（高地）」と呼ばれるこの地方では、集落ごとの部族がそれぞれちがう言葉を話します。同じ言葉を話す部族内の結びつきがとても強いせいか、部族間での争いが絶えなかったそうです。強い相手と戦って負けそうになった人たちが、たまたまどろの中に転んで恐ろしい姿になったら、相手が逃げたので、そのような恰好をするのが決まりになったといわれています。または、相手が殺した人の姿になってこわがらせるためだったという説もありますが、これが、全く無音のうちに行われるのです。

太陽が照りつける密林の空き地に座っていると、静かに一人、二人とあやつり人形のような動きをしな

がら、マッドマンが現れました。どろでできた大きなお面を頭っからすっぽりかぶっているので、顔は見えません。そして手にしていた弓矢で、近い距離から見物客（私とM君だけ）を射るしぐさをするのです。もしも本当に矢が飛んだらと思うと、背筋が寒くなりました。

一番こわかったのは、後ろのしげみから長いつめを生やした人が、とつぜん、だきついてきたことです。少しでも音をたてたり、伴奏音楽があったりしたら、この恐ろしさはへってしまうでしょう。音楽でも、恐ろしさを一番あたえるのは、全員が沈黙したときではないかと思いました。

ここは、太平洋戦争で日本軍の激戦の地だったことでも知られています。かつてごう音をとどろかせながら飛んでいた飛行機が、今は静まりかえった森の中に置かれているのも、戦争の恐ろしさを強く感じさせるのでした……。

■M君とはけっこう地球上のいろいろな場所に行きました。インドネシアのバリ島ではジェゴクという竹製楽器のガムラン、モンゴルではホーミー（声で和音を出す）、ブータンのラマ教の僧院での儀式などを体験。次はどこへ行こうかな。

第137回／2019年8月25日

♥「個性がない」のが個性

――だれも知らない……

名のある作曲家の作る曲は、どれも特徴があって、聞けばすぐにそのちがいが感じられるものです。たとえばベートーヴェンは、初期のころこそ、尊敬するハイドンやモーツァルトと似ていましたが、20歳にもなると、彼の特徴である力強さがはっきりと表れてきます。それに比べてハイドンは明るく、モーツァルトはかわいい感じがします。こうした特徴を作曲家の「個性」といいます。

しかし、その個性が全く感じられない人もいます。そういう人は残念なことに、ときがたつとともに忘れられてしまうものですが、ときに幸運の女神がほほ笑んだのか、名前が後世に伝わる場合があります。多くの場合、曲以外の魅力によってそうなるのです。オーストリア生まれのレオン・ミンクス(1826~1917年)はバレエの世界に身を置いたため、バレエをとおしてその名と曲が受けつがれることになりました。といっても、ほとんどの人がその名前を知らないでしょう。バレエを習っている人にたずねても、チャイコフスキーは知っているけど、ミンクスなんて聞いたこともないというのです。それもそのはずです。この二人は同時期にロシア帝国の帝室バレエ劇場の仕事をしていて、結局はチャイコフスキーの音楽的才能に、ミンクスがのみこまれてしまったのでした。それでも今なお「ドン・キホーテ」「ラ・バヤデール」「パキータ」の3作だけは、よく上演されています。しかしその中で話題になるのは、踊り手が何回回転したとか、どのくらい高くジャンプしたとかいう、踊りにたいしてで、音楽の良さではないのです。

聞いているときは、心地よいのですが、終わるとすべて忘れてしまう「ふつうの曲」というのが、ミンクスの音楽の特徴です。前述した代表作の3作はそれぞれ、スペイン、インド、ロマ（ユーラシア大陸〈ヨーロッパとアジア全域〉などを移動しながら、一か所に住み続けないで生活している少数民族）を描いた異国的な内容ですが、その表現も控え目すぎるように感じます。

でも聞いていてじゃまにならないのは確かです。現代なら環境音楽の仕事には向いているかもしれませんね。

■はっきりしないのは、この人がもともと無個性な作曲家だったのか、個性を封じられてしまったためにそうなったかということです。前者だとしたら曲が残ったのは幸運ですし、後者だったら気の毒としか言いようがありません。

第138回／2019年9月1日

♣通奏低音は手ぬきの作曲法――弾くのはけっこう大変

バロック時代の楽譜は、不完全な書き方をしています。たとえばヴァイオリン曲だと、そのパートの下に低音だけが書いてあって、伴奏するチェンバロの右手の和音は何も書いてありません。その低音をチェロやファゴットがなぞる場合もあります。「三重奏」と書いてあってもふつうはもう一人、チェンバロやリュートなどが加わり、人数としては四人になるものです。

和音の基礎となるこの低音は、たいていは休みなく演奏されているので、「通奏低音」と呼ばれます。同時に和音を弾く楽器も同じ名前で呼ばれます。その和音は、何も手がかりが書かれていない場合は、書かれている二つの音(旋律と低音)を見ながら、その場ですぐに考えて弾きます。これによって通奏低音奏者の能力と趣味が、わかってしまうのです。

もう少し親切な場合は、低音の上か下に、その音からの音程を示す数字が書かれています。そのために「数字つき低音」ともいいます。なぜこんな書き方をしたのかというと、まず作曲家がめんどうくさいと思ったからでしょう。和音は音がたくさんあるので、全部書くと時間がかかります。また、当時はインクや紙が貴重だったので、節約の意味もありました。そして、通奏低音を受け持つ人はその曲の作者か、作曲の勉強をしている人だったので、理解できたのでしょう。

もう一つ、旋律を弾く人があまり上手ではない場合、万一のときは、その分も代わりに弾いて続けるという役目もありました。しかし、そのうちに曲が作者の手からはなれ、いいかげんな弾き方をされると困るようになりました。演奏する会場が広くなって、チェンバロがもっと大きな音を出せるピアノに代わったころから、この書き方は使われなくなり始めます。つまり伴奏部も重要と考えられ、全部記されるようになったのです。

ヴィヴァルディ作曲の「四季」の録音をいくつか聞き比べてみると、そのチェンバロが、人によってちがうことを弾いているのに気づくでしょう。あなたの趣味に合っているのはどれですか？

■モンテヴェルディのオペラの総譜を見ておどろくのは、上演が3時間もかかるのに、ページ数が少ないこと。それは通奏低音を使っているから、紙の消費量がへるのです。何だかポピュラーの歌譜（メロディー＋コードのみ）みたい……。

第139回／2019年9月8日

♥民謡って、むずかしいです！

——日本人なのに……

丹波篠山へ行ってきました。兵庫県の山の中にある市で、150年以上昔の町並みがそのまま残っています。それとともに、古くからの文化や習わしが、絶えずに受けつがれている場所としても、世界的に有名です。

音楽では「デカンショ節」（篠山節）が知られています。このおもしろい名称は、歌い終わりにかならず「ヨーイヨーイ、デッカンショ」というはやし言葉が歌われることからつけられました。その意味は定かではなく「どっこいしょ」「〜でござんしょう」などが変化したものではないかと想像されています。歌詞や節回しは、江戸時代にこの地で歌われていた「みつ節」がもとの歌で、盆踊りとして歌い踊られていました。それが明治時代になって、篠山の人が東京へ移住したのにつれて広まったようです。歌詞の1番に歌われる「丹波篠山　山家の猿が　花のお江戸で芝居する」は、そんなことを歌いこんだものでしょう。歌詞はどんどんふえて、現在は300番もあるといわれ、故郷の名物や文化を紹介するのに役立っています。

その民謡を習うのに、まず楽譜を準備して予習しました。何種類もあり、どれもちがうので、一番簡単に思えたもので歌ってみました。4分の2拍子で「♯」が二つついている調です。しかし、何だか不自然な感じで、どこが強拍なのかわかりませんでした。現地に行ってみて初めてわかったのですが、これは五線紙にはとても書けない曲だったのです。旋律にはピアノの鍵盤にはない音が入っていて、リズムも書かれているのとは全くちがうのです。日本民謡は楽譜から入ってはいけないのだ、ということがよくわかりました。

また、楽譜には踊り方の絵がついているのですが、これを見ただけで踊れる人はだれもいないでしょう。上半身と下半身が全く別の動きをします。西洋のフォークダンスならすぐに踊れるのに……と、くやしさをかくしながら、必死で習いました。そして、学校で習った西洋の音楽を捨て去ることも必要だということ、それができないのを歯がゆく思ったことでした。

■これはTVの仕事でした。「ぜんぜんダメだけどいいことにして……」と言われながら習いました。結果として全く踊りは身につきませんでしたが、われながら浴衣が似合うなと思いました。民俗芸能には衣装から好きになる道もあるのですね。

第140回／2019年9月15日

♥語りが主役の「ピーターと狼」

――「その後のピーター」もあるよ

幼稚園生など年少の人向きに作られた管弦楽曲の中で、群をぬいて演奏の機会が多いのは「ピーターと狼」でしょう。みなさんも、きっと学校で聞いたことがあるのではないかと思います。

作曲されたのは1936年ですから、ロシアがソビエト連邦と呼ばれていた時代でした。当時の音楽家は国の考え方に従って芸術活動をすることを求められていましたが、これはオーケストラで使われる楽器を、子どもたちに理解させるために書かれたものです。

作曲者のプロコフィエフ（1891〜1953年）は、自分で物語も書き、たった1週間で曲を完成させたといいますから、やる気満々だったのでしょう。楽しんで作曲しているようすが、音楽のどの部分からも伝わってきます。牧場におじいさんとくらすピーターが、悪い灰色オオカミを、友だちの動物たちと協力してつかまえ、動物園に連れて行くという冒険物語です。

この作品の特徴としては、それぞれの登場人物と楽器、それに用いられる音楽（主題）が常に一致していることです。ピーターは弦楽合奏で生き生きとした感じ、小鳥はフルートでさえずりの音を、アヒルはオーボエでわめき声を、ネコはクラリネットでしなやかな歩き方を、とくにファゴットで演奏されるおじいさんのしわがれた声は、思わず笑ってしまいそうです。かんじんのオオカミは、むごいことを平気でする性格が3本のホルンで、追ってきた狩人は打楽器で表されます。これは、本当にその楽器の特性を理解して書いていると感心します。

もう一つの特徴は、音楽と同時に語り手が物語を伝えることです。はじめの間は楽器が全部休んだところ（ゲネラルパウゼと呼ぶ）で自由に話すのですが、後半は音楽に乗って、とてもはつらつと語るのです。作者が書いた台本が各国の言葉に訳されていますから、みなさんもやってみるといいですね。演劇や朗読の好きな人なら、きっとうまくいきますよ。オーケストラの部分をピアノで弾けるようにした楽譜もありますから、ぜひ試してみてください。

■この曲をもとに「その後のピーター」という同じ編成の曲を書き、井上道義指揮・京都市交響楽団で初演しました（語りはB）。ただ、もとの曲は音楽が停まっているときにしゃべるのですが、こちらは同時なので、指揮と兼ねられません。

第141回／2019年9月22日

♥ジャズを楽譜にしたガーシュイン

——カッコいいです!

19世紀にアメリカの黒人たちの間で始まったジャズは、もともと楽譜を使わずに演奏されていました。一方、クラシック出身の白人音楽家たちは、何とかそれを楽譜に表そうとしましたが、とくに拍からずれたように感じるリズムをとらえられませんでした。ヨーロッパのラヴェルやヒンデミットがこころみたものの、うまく書けませんでした。

それを初めて完全に楽譜として書いたのが、アメリカのジョージ・ガーシュイン（1898〜1937年）です。彼は13歳のとき、本来は兄アイラにあたえられたピアノを弾き始め、やがて楽譜店の店先でピアノを弾く仕事につきました。ここで通りがかりの客の心をつかむ演奏法を身につけたのだと思われます。

やがて1919年に「スワニー」という歌を作曲し、ポピュラー寄りの作曲家としてデビューしました。翌年、作詞家になっていた兄と組んで白人向けのショーやミュージカルの中の歌を書き、これらは今なおヒットしています。

クラシック系の作曲も試み、そのはじめの表れが、1924年の「ラプソディー・イン・ブルー」です。

これはピアノと管弦楽のための曲です。ピアノの部分は正確に書けたものの、管弦楽の部分はグローフェに手伝ってもらったことから、ガーシュインはフランスのパリに出て正式な作曲法を習おうとします。ここで「管弦楽の魔術師」と呼ばれるラヴェルから「あなたは二流のラヴェルになる必要はない」と、断られています（ちょっと、えらそうな言い方ですね）。しかし、本場のクラシック音楽にふれた影響はめざましく、管弦楽曲「パリのアメリカ人」（1928年作曲）などの大作も残しています。これはもちろん、自分のことを描いた音楽ですね。

　1935年には、兄の台本で黒人の生活を描いたオペラ「ポーギーとベス」を発表しました。現在まで、もっとも有名なアメリカのオペラの地位にあります。どの曲もそれまでの作曲家にはない現代的なかっこよさを持っていて、全く古くさく感じないのはふしぎとしか言いようがありません。

■真にアメリカらしい曲を書いたのは、19世紀のフォスターを除いては、やはりガーシュインをあげざるをえません。現在のポピュラー音楽につながるという意味でも重要です。ピアノを習っている人、そのうち弾いてみてね。オリジナルのピアノ曲もありますよ。

第142回／2019年9月29日

♠動物って、音楽がわかるの？

――N犬は何にも言わないけれど

本人（？）に聞いてみなければ本当のことはわかりませんが、芸術としての音楽は完全に人間の文化なので、動物はリズムやメロディーといった音楽を理解することはできないでしょう。ただ、耳に相当する器官があれば、音は聞こえているはずです。

わが飼い犬のNは、音については感じているようです。名前を呼ぶと耳を動かしますが、音の高低で反応しているようです。私の名前は青島、あずけているお宅は松島という名字ですが、同じ4文字でも高低が微妙にちがうのを聞き分けているようです。けっこうすごいですね。また、救急車のサイレンが鳴ると、それに合わせて遠ぼえをしますが、これも張り合っているだけみたいです。音響機器関連などの会社の商標（商品の目印となるマーク）に、蓄音機から聞こえる亡き飼い主の声に耳をかたむける犬が描かれていますが、これが真実だとすると、声色を覚えているのでしょう。猫にも同じ現象が報告されています。

さまざまな鳴き声を出す鳥は、まるで歌っているように思えますが、呼び合っているだけで、音楽として聞いてはいないはずです。しかし、ほ乳類や鳥類は感情が豊かなので、鳴き声で自分の気持ちを伝えようとしていることは事実です。ヘビなどの、は虫類やカエルなどの両生類、魚類はどうかというと、音は聞こえていると思われます。しかし、それは単に、音がするとエサがもらえるといったような「条件反射」としてとらえているようです。体の構造がもっと単純な生き物（昆虫、貝、ミミズ、アメーバなど）になると、音そのものというより、周囲の空気や水の振動を感じているのです。

構造がさらにもっと単純な菌の仲間で、お酒を作るときなどに用いられる「酵母」はどうでしょうか。酵母は、クラシック音楽を聞き分けてコメを発酵させるという説がありますが、それが本当なら、やはり音の振動によってその働きが変化するだけなのでしょう。この説については疑わしいと思っていましたが、先日、モーツァルトの曲を聞かせてできたお酒と、ベートーヴェンの曲を聞かせてできたお酒を飲み比べたら、確かに味がちがうのでビックリしました。

■この後、お寺での演奏会にやむなくNを連れて行ったのです。楽屋で一人にしておくと鳴くので、知り合いに頼んで客席に。するとなぜか、テノールの声に反応して二重唱になるのです。高さのせいなのか、調べてみますね。

第143回／2019年10月6日

♥西のカラヤン、東のバーンスタイン

——南と北はだれでしょう?

作曲した楽譜をとおして人びとと向き合う作曲家にたいして、直接聞く人にうったえかける演奏家は華やかな存在です。音楽会の成功は彼らにかかっていると言っても、言いすぎではないでしょう。

しかし、演奏家はその人が亡くなると、急速に忘れられてしまうものです。とくに録音という方法がなかった時代はそうでした。人間の記憶は消えていくものだからです。レコードやCDができてからも、古い盤はどんどん売れなくなってしまいます。とくに指揮者は本人が音を出さないので、忘れられてしまいがちです。しかし、その名声に全くかげりがなく、現在も引き続きCDが売れ続けている二人がいます。

それが20世紀半ばから後半にかけて活躍した、ヘルベルト・フォン・カラヤン(ドイツ、1908~89年)と、レナード・バーンスタイン(アメリカ、1918~90年)です。

その個性は対称的で、ファンを完全に二つに分けています。前者は「楽壇の帝王」と呼ばれ、指揮の芸術性を急激に高めました。後者は「レニー」のニックネームで呼ばれ、音楽の楽しさを指揮によって広めました。

音楽にベートーヴェンのようないかめしさと、ヨハン・シュトラウスのようなゆかいさがあるなら、この二人の得意とする分野もそのとおりでした。どちらがすばらしいというものではなく、両方があってこその音楽人生です。ですから、私たちは残された二人の録音を、機会があるたびに聞くことにしましょう。

二人とも何回も日本を訪れましたから、私も直接その演奏を聞いています。何よりもカラヤンが姿を現すと、ホールは大聖堂の中のようにはりつめた雰囲気になり、思わず姿勢を正したものです。

バーンスタインの場合は、あたりの空気が温かくなり、お祭りが始まるような気分になったのを覚えています。

その感じが録音からも伝わってくるのはふしぎですが、その仕事に関わったすべての人たちの気分が反映されているのでしょう。すぐれた芸術家には、そうした力があることを証明していますね。

■お金を自由に使える年齢になったら、音楽に興味のある人は、ぜひとも評判の高い名演奏家の公演に行くことをおすすめします。その人の音楽性を肌で感じ取れますから！　残念だったのは、歌い手のマリア・カラスを見られなかったことです。

第144回／2019年10月13日

♠ はっきりした声を出し続けてね
——疲れませんよ

週に3日、二つの大学に勤めているのですが、学生さんの声がどんどん聞こえなくなりつつあります。私が年を取って耳が聞こえづらくなったのかとも思いましたが、そうではなく、若い人たちに大きな声を出す習慣がなくなっているのでしょう。小学校で行っている鑑賞教室では全員で歌うコーナーをもうけていますが、それも4年生までは大声で歌うのに、5年生以上はつぶやいているか、全く口をつぐんでしまうかなのです。こうした傾向が、そのまま大学生になるまで続いてしまっているのですね。

歌うことと話すことは、ちがうようでいて、実はひと続きです。歌は、話し言葉をもっとも大げさに表現したものなのです。ですから、もしも高学年になって「大声で歌うのがはずかしいな」と思ったら、せめて人の前で返事をしたり発言したりするときだけは、その場に合った声の大きさで話してほしいと思います。

たとえば、10人で話し合いをするときと、40人の前で発表するときとでは、声の強さはおのずとちがうものです。そこにいる人全員に伝わるような大きさで、息の速度を考えてみてください。

また、先生の質問に答えるときなどは、教壇から遠くはなれて座っている人は、かなり大きな声を出す必要があるでしょう。

講堂などでマイクを使う場合は、ふつうにしゃべればいいのですが、低学年の人たちは、直接音が出ているスピーカーのほうを見てしまうものです。せっかくみんなの前に登場しているのですから、大きな身ぶりをまじえて、話している表情を見てもらえば、もっと内容が伝わるはずです。

また、質問に答えようとして手をあげた人にマイクを向けると、とつぜんだまってしまう人が、かなりいます。何を話すかを頭の中で組み立ててから手をあげるようにしましょう。

大人になって人前で話すときに困らないように、音楽の時間や校歌などを、いつもみんなで歌ってみてください。大勢だとぜんぜんはずかしくありませんよ。

■感染症のせいで、マスクをつけるのが日常的になりましたが、以前はしゃべるときはマスクをはずすのが礼儀でした。これからは着用しているときこそ、しっかり声を出すようにしましょう。マイクつきマスクが発売されないかな。

第145回／2019年10月20日

♥「赤い鳥」ってどこにいるの？――大正時代の日本に

今日のお話は『赤い鳥』についてです。演劇になっている『青い鳥』（メーテルリンク作）と関係がある、というわけではありません。でも、童話という意味では関係あります。これは1918年（大正7年）から36年（昭和11年）まで出版されていた、子どものための雑誌だったのです。この雑誌は当時、童話作家として活動していた鈴木三重吉が、それまでに学校で歌われていた唱歌が、かた苦しく大人からの一方的な押しつけだと感じ、自分が信じる本当に子ども向きの話や物語をあたえようとして始められました。

後に、一流の文学者たちがどんどん加わりました。芥川龍之介、有島武郎、泉鏡花、北原白秋、高浜虚子、菊池寛、西條八十、三木露風……と記すと、その執筆者たちのすごさがわかります。

みなさんも、こうした作者の作品をもう読んでいるかもしれませんね。中でも「待ちぼうけ」「この道」などの童謡で知られる北原白秋は、自分で発表するだけでなく、読者の投稿作品の審査員も務めました。

最初は、文章だけがのっている雑誌でした。『蜘蛛の糸』（芥川龍之介作）、『一房の葡萄』（有島武郎作）、『ごん狐』（新美南吉作）などが今でも有名です。1919年には、前年掲載された『かなりや』（西條八

十詩）が成田為三によって作曲され、その楽譜が掲載されました。こうした動きは「赤い鳥運動」と呼ばれ、音楽活動としても注目されることになり、芸術的な童謡が次々と生まれました。ほかには「からたちの花」（北原白秋作詞、山田耕筰作曲）が今でも歌いつがれています。

しかし、投稿していた宮沢賢治の作品が全くのらなかったり、内容が実際の子どもの生活からかけはなれていたり、という問題もありました。そこで、『赤い鳥』に続いて創刊された雑誌『金の船』（1919〈大正8〉～29〈昭和4〉年）には、「青い目の人形」「七つの子」（野口雨情作詞、本居長世作曲）など、多くの子どもの心をとらえた童謡が発表されたのです。

『赤い鳥』から生まれたのは、どちらかというと今では大人向きの曲となっていますが、小さい人向きの歌を作ろうとして始めた試みだったことは、忘れてはなりません。

■なぜ大正時代に子どものための雑誌が出版されたのか、その理由の一つは、明治時代に何とか諸外国と文化水準が同じになったので、次の段階に進めたこと。もう一つは第一次世界大戦で、直接参加しなかった日本が好景気になったことです。

第146回／2019年10月27日

♠「文化」について考える

——たまにはいいんじゃない？

今日は「文化の日」という祝日です。では、文化とはいったい何でしょうか。深く考えてみたことがありますか。なんとなく「すてきな、すばらしいこと」のように感じますが、ここでいろいろ考えて、自分なりの答えを出してみましょう。

まず、絵や彫刻などの芸術、作曲や演奏などの音楽、バレエや日本舞踊のような踊りなどがすぐに頭に浮かびます。また、小説や詩などの文学、スポーツ、料理、広く考えると、ロケットを打ち上げる宇宙工学、健康に関する医療なども文化の一つです。このように見てくると、文化は人間のくらしを豊かにする活動のことだということができるでしょう。

人間をふくむ動物には本能があります。それは生きていくため、子孫を残すための最低の条件を満たす活動です。「衣・食・住」が生活の基本といわれますが、そのうちもっとも必要な「食」は、動物の場合はそのまま食べるだけですが、人間は焼いたり味をつけたりします。それが料理文化なのです。「衣」に関しては、寒くなれば、動物は寄り集まって寝ますが、人間は服を作り、次第に着やすいもの、美しいものへ進化させます。「住」なら、動物は穴に入ったり巣を作ったりしますが、人は快適な家を建てます。これが服飾・建築文化なのです。中でも美術や音楽などの芸術文化は、とくにそれがなくても、くらしていけます。しかし、あったほうが楽しく、生活にはりが出るものです。マリア・カラスという20世紀を代表する偉大なソプラノ歌手が言ったように「私たちがいなくても、地球は回るし、太陽はのぼるでしょう。でもいることによって、少しでも生活が楽しくなると信じて」文化活動を進めているのです。

まだ若いみなさんは、学校で学ぶことがすべて文化につながるのだと思ってください。そして、さらに新しく高い文化を作り出してほしいのです。文化の発展や向上に目覚ましい功績をあげた人におくられる文化勲章を受ける人たちは、日本の文化を高めた人たちです。どのような活動をしてきたのか、新聞などを読んで心から拍手をおくることにしましょう。

■文化人とはどういう人なのか知りたければ、文化の日（11月3日）に、勲章の授与式があり、顔写真入りで新聞にのるので見てください。でも人によっては若いころのを出していることがあります。なるべく最近写したものにしてほしいです。

第147回／2019年11月3日

♥「モルダウ」は理科と社会の勉強です

——楽しいけどね

理科の授業で、川はどこから始まり、どこにそそぐのかを習います。社会科では、その川が流れる場所や産業との関わりを習います。それらを思い出すのにうってつけなのが「モルダウ」という管弦楽曲です。

モルダウは、中央ヨーロッパのチェコを南から北に流れる同国内でもっとも長い川です。同国のボヘミア地方の山中で生まれ、北はドイツをへて北海にぬけ、南はドナウ川にいたり、黒海にそそぎます。「チェコ近代音楽の父」と呼ばれるベドルジハ・スメタナ（1824〜84年）は、自分の生まれた国をたたえ、紹介するために6曲からなる、交響詩「わが祖国」を1872年から7年かけて作曲しました。どれもチェコの歴史・伝説・風景などを描いています。作曲者の祖国への愛情が強く感じられ、情景描写にすぐれた作品です。とくに第2曲にあたる「モルダウ」は、音による絵とも呼べるほどわかりやすいのが特徴です。そのため、初心者向きの曲として、鑑賞教室などでもたびたび演奏されています。

「交響詩」とは、オーケストラで演奏する、物語を持った曲の種類です。19世紀のロマン派、とくに国民楽派の作曲家たちによって作曲されました。彼らは地理的に専門の音楽教育を受けにくい地域に住んでいたので、交響曲を書くのに必要なソナタ形式を習得できませんでした。そのため、自分たちの周囲にある伝説や風景を題材にしたのでした。

曲は①ボヘミアの水源地（フルートとクラリネットが二つの水源を示し、弦のピチカート〈はじく奏法〉がしずくを表す）②川の流れ（短調と長調を行き来する民謡風な曲）③森の中（狩りを表すホルンが活躍）④村の婚礼（弦と木管を主体とした踊り）⑤夜の沼（遅くなりハープが目立つ）⑥川の流れ（②と同じ）⑦聖ヨハネの急流（岩のある危険な場所、金管と打楽器が強奏）⑧プラハ市（首都に入り、長調となる。「わが祖国」第1曲の「高い城」の音楽が聞こえる）⑨海へ（楽器がどんどんへる）……の順で進み、私たちは流れにそって旅をすることになります。

なお「モルダウ」はドイツ語読みなので、現地では「ヴルタヴァ」と発音しないと、わかってもらえないでしょう。

■この曲の欠点は、交響曲などでは第2楽章（緩徐楽章という、ゆっくりした部分）にあたる沼の部分が長すぎること。Bは鑑賞教室では少しカットして演奏します。許されないことでしょうが、あきられるよりはいいでしょう。

第148回／2019年11月10日

♥カラス　なぜなかないの？

――マリア・カラスという歌い手がいた

今日までに登場した歌い手の中で、だれが一番有名かというと、それは親がギリシア系移民で、アメリカ、ニューヨーク生まれのマリア・カラス（1923〜77年）をおいてほかにはいません。鳥のようなふしぎな名前と、ディズニーのアニメに登場するお姫さまみたいな容姿は、声を聞く前から強い印象をあたえます。

彼女は、オペラに初めて現実的な演技を持ちこんだことで、高く評価されました。それまでの歌手は良い声を聞かせようとして、いつも同じ姿勢でしか歌いませんでした。また、どんな場面でも同じような声しか出しませんでした。でもこれはおかしな習慣で、舞台ではひざまずいたり、たおれたりしなければなりません。恋の歌と悲しみの歌とでは音色もちがうはずです。女声、とくにソプラノの場合は、常に頭部に響かせた声で歌うのが基本でしたが、それでは低い音や苦しみの表情は出せません。

そこでカラスは、それまで禁じられていた胸部に響かせる「地声」を使い、表現の幅を広げたのです。その役作りは的確で、とくに極限状態に追いこまれた人物や、巫女のような神秘的な役を、想像力で作りあげたのでした。そのような部分に使われるコロラトゥーラ（声を楽器のように細かく動かす）の技術も最高で、とても人間わざとは思えません。しかし、あまりに無理をしすぎたこと、舞台で美しく見せるためのダイエット（寄生虫のサナダムシの卵を飲んだとうわさされました）のせいか、その活動はほぼ10年と短いものでした。さらにお客さんに最高の状態を届けようと、途中まで歌ってやめてしまったり、その日になって急に出演しなかったりして、聞きに来た人たちを逆に失望させるような問題を何回も起こし、舞台から去ってしまったのです。ただそのころになると、歌わなくてもいいから、その姿を見たいという熱狂的なファンも多くなり、それに応えて公開講座を開いています。

最後の公演はなんと日本で、１９７４年のことでした。何とかして券を手に入れたいと思いましたが、全席売り切れでした。幸いにして多くの録音がありますから、ぜひ聞いてみてください！

■もしもその日になって、どうしても歌えないのなら、本人が舞台に出て説明すべきでしょう。ただ、オペラなどではこういうときのために、「カバー」という代役が待ちかまえているのです。こうした事故が多いからでしょう。

第149回／2019年11月17日

♥ビゼーは不運続き でも……

——死んでから有名になってもね

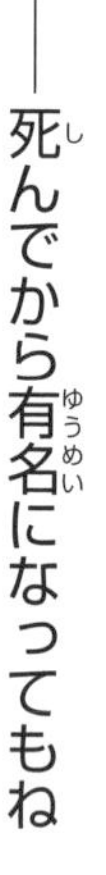

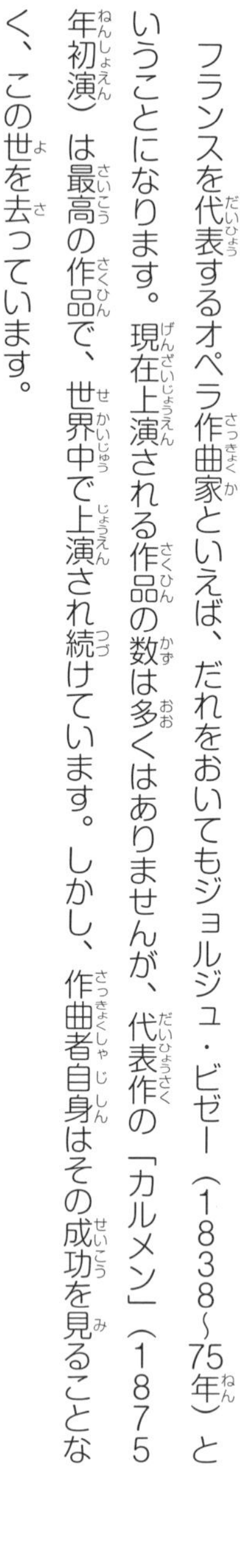

フランスを代表するオペラ作曲家といえば、だれをおいてもジョルジュ・ビゼー（1838～75年）ということになります。現在上演される作品の数は多くはありませんが、代表作の「カルメン」（1875年初演）は最高の作品で、世界中で上演され続けています。しかし、作曲者自身はその成功を見ることなく、この世を去っています。

ビゼーはパリ音楽院の作曲科を優秀な成績で卒業しましたが、作曲にはそれほど興味を示さなかったようです。彼を教えたアレヴィがオペラ作曲家だったため、オペラ座に就職し、歌い手を指導するコレペティートルの仕事を始めました。そのピアノの腕前は「ピアノの魔術師」と呼ばれるフランツ・リストから、自分と並ぶピアノの名手とほめられるほどでした。しかし、人前で独奏するよりも、歌やオペラの伴奏に打ちこみました。

ピアノ曲も少なく、連弾曲「子供の遊び」がときおり演奏されるくらいです。オペラにしてもはじめのうちは、せりふ入りのオペラコミックと呼ばれる大衆向きの曲を書いていました。「カルメン」もそうでしたが、後に規模の大きな正歌劇（グランドオペラ、フランスではグランドペラ）に改められました。その仕事の途中で、パリ市内を流れるセーヌ川で泳いで風邪をひき、それが原因で亡くなってしまいました。現在上演されている楽譜は、友人のエルネスト・ギローの手が加わっているのです。

奥さんのジュヌヴィエーヴは、先生であるアレヴィの娘でした。夫より父親の才能を高く認め、ビゼーの書いた曲を物置に放りこんだままにしていました。たった1曲の交響曲（1855年作曲）は死後、ぐうぜんに発見され、完成後80年たって初めて演奏されたのです。ジュヌヴィエーヴはビゼーに家事や育児のほとんどをまかせきりにし、自分は長いすに寝そべっていただけだといいます。ビゼーの死は、十分な看護を受けられなかったからだともいわれています。結婚生活については他人が口を出すものではありませんが、夫婦はおたがいに認め合わなければいけませんね。「カルメン」の主人公は、どことなく彼女に似ています。

■夫婦のことは、本人でないとわからないことなので、周囲がとやかく言うべきではありません。でも音楽家の多くは離婚します。Bの同級生は4分の3が！　その点ではビゼーのほうがましですね。早死にするのは困りますけど。

第150回／2019年11月24日

♥マザーグースは英語のわらべ歌

——では日本はファザーグース?

英語で歌われるわらべ歌を「マザーグースの歌」といいます。日本語に訳せば「ガチョウおばさんの歌」ですが、なぜこんな名前がついているのかというと、子どもたちの文化を守り育ててきたのが女性だったこと、ガチョウの世話は女性や子どもにまかされていたことからだと考えられます。

どんな歌があるのかというと、だいたいが英語の本家本元であるイギリスに伝わったものです。「ハンプティ・ダンプティ（卵形の人形）」「キラキラ星」「ロンドン橋」「メエメエひつじさん」などで、英語圏の人ならだれでも知っているものです。アメリカで生まれた歌としては「メリーさんのひつじ」があります。

歌といっても、かならずしもちゃんとしたメロディーがあるわけではありません。リズムだけが決まっていたり、単なる唱えごとや呪文のようだったりするものもあります。そのために、これらの歌が初めて出版された１７４４年には、言葉だけで楽譜はのっていませんでした。本の題も『トミー・サムの可愛い歌の本』でした。その後、出版業者ニューベリーが、フランスのペローの昔話の口絵に書いてあったフランス語の「マ・メール・ロワ」を英訳して、「マザーグース」にしたのです。

曲になっているものは、メロディーもリズムも単純で、音域もせまく、それでいて個性的です。したがって、子どもの生活から出てきた歌だということがすぐわかります。日本にも明治時代にアメリカ経由で入ってきて、文部省唱歌になった曲もあります。しかし、詩のほうは意味不明なものも多く、「ロンドン橋」が、なぜ何回も落ちるのかがよくわかりません。その終わりに出てくる「お姫さま」は、いったいだれなのか（橋を完成させるための犠牲者という説があります）……。「ハンプティ・ダンプティ」は本当にいたのか、など疑問はつきませんし、「マフェットお嬢さん　タフェットに座って」のタフェットとは何か（単に語呂合わせらしい）などは、考えても答えは出ないでしょう。

曲のない作品は、みなさんも日本語訳にメロディーをつけてみてください。

■「タフェット」は歌の内容から「草の盛りあがっている場所」と考えられ、そこから「低い腰かけ」の意味にも使われますが、これは後からのこじつけです。歌にはよくわからない言葉はあるものです（ドナドナとか……）。

＊ちなみに「ドナドナ」はヘブライ語で、神にたいする祈りの言葉らしいです。

第151回／2019年12月1日

♥パトロンは神さまです！——でも ときに気まぐれ

芸術家——とくに音楽家は、注文が来なければ仕事になりません。中でも作曲家は、演奏されるあてもないのに、曲を書いて待っているわけにはいかないのです。彼らをお金の面で援助してくれる人のことを「パトロン」と呼びます。もちろん、音楽会に券を買って来てくださるお客さまもありがたい存在ですが、パトロンはもっと長期間にわたって物心ともに支えとなってくれる相手です。ですから、幼年時代のモーツァルトを招いたオーストリア・ウィーンのハプスブルク家や、ハイドンをやとっていたハンガリーのエステルハージ家は、正確にいえばパトロンではありません。

真のパトロンといえるのは、イギリス・ロンドンでヘンデルを重く用いて「メサイア」（中にふくまれる「ハレルヤ」が有名）を書かせたジョージ1世、管弦楽の基礎を築いたとされるリュリをフランス王室づきの音楽家にしたルイ14世、古くはイタリア・フィレンツェの大富豪で、「カメラータ」と呼ばれる文化人の集まりを組織し、世界で初めてのオペラを作曲させたメディチ家、そして、それに対抗して、モンテヴェルディに「オルフェオ」を書かせたイタリア・マントヴァのゴンザーガ家などです。

少し時代が下って、ベートーヴェンにはワルトシュタイン伯爵やルドルフ大公ら、個人のパトロンがいました。前者はベートーヴェンの才能を早くから見ぬき、ベートーヴェンは「ピアノ・ソナタ第21番《ワルトシュタイン》」をささげました。弟子であり友人でもあった後者には「ピアノ・ソナタ第26番《告別》」をおくりました。シューベルトとショパンも、それぞれウィーンとパリのサロンに集まる貴族たちが援助しました。その名は楽譜に「献呈」した相手として記されています。

借金をかかえて逃げ回っていたワーグナーに救いの手を差しのべたのは、作曲家のリスト、ファンのヴェーゼンドンク夫妻、バイエルン国王ルートヴィヒ2世でした。しかし、彼は助けてもらうだけ助けてもらいながら、残念なことに結局はパトロンを裏切ってしまうことになるのです。現代のパトロンは大企業でしょう。でもそれも、社長さんのツルの一声で決まることが多いのですが。

■Bのパトロンは、今のところ定泉寺という1600年から続くお寺（年2回境内で演奏会を開いてくれる）と、券をさばいてくださったり、夕飯をめぐんでくださるM家です。とくに後者なしでは、BもNも生きていけないでしょう。

第152回／2019年12月8日

♥バルトークは民謡が大好き！

——都会に背を向けて

20世紀前半には、何人もの個性的な作曲家がヨーロッパの周辺地域から現れました。その中でもっとも偉大な存在は、ハンガリー生まれのバルトーク・ベラ（1881～1945年）ということになるでしょう。

彼はそれまで民謡や踊りが主だったハンガリーの音楽を、一気に世界的な水準に引き上げました。その意味で「ハンガリーの近代音楽の父」とみなされますが、たとえばチェコのドヴォルザークなどとはちがう方法でした。なんととつぜん、その時代の最先端である作曲法を使ったのです！

それは、自国の民謡を研究し、しかも現代的な解釈で自分の個性にまで高めたものでした。25歳から、同じくハンガリー出身のコダーイ・ゾルタンとともに地方を回り、農民たちの音楽を聞いて、楽譜に書き残しました。コダーイは後に教育者としての仕事が多くなりますが、バルトークは純粋に作曲家の道を歩みました。その成果は次のように表れます。

まず、民謡の持つ独特な音階（「旋法」といいます）を用いました。それによって、それまでの長・短調からぬけ出し、しかもなつかしい曲想が生まれます。次に、作曲法上長い間禁じられていた、つんのめるようなリズム（跛行リズム）を用いて、曲のアクセントにしました。さらに、打楽器ではない楽器を打楽器のように使いました。民俗音楽は打楽器が重要ですし、そのためにこれまでにない力強さが生まれます。これらの作風は「現代のバイエル」と呼ばれるピアノ練習曲集「ミクロコスモス」（全6巻）や、日本でもよく歌われる無伴奏合唱曲などで聞くことができます。

わが国では第二次世界大戦後、若い作曲家たちが、バルトークを手本とする曲を次々と発表しました。日本民謡を現代的に用いようとするとき、彼の考え方に共感するところがあったのだと思います。とくに林光、間宮芳生といった人たちは、自らその影響を受けたといっています。聞く人によっては、やや都会的でないと感じるかもしれません。でも、そうした個性も世の中に受け入れられる時代になったのです。

■ただちょっと、汚い音がするように思います（楽器の種類にもよるのですが）。合唱曲では力強さは感じるのですが、あまりにも野蛮なように……。そういえば、この人の作品1はピアノ曲で、「アレグロ・バルバロ（野蛮に）」です。

第153回／2019年12月15日

♥クリスマスのプレゼントは……？

――バレエでもいかが

クリスマスに贈り物をもらったことはありますか？　今までにいただいたプレゼントの中で一番気に入った物は何でしたか？　少女クララの場合、それはくるみ割り人形でした。

クルミはかたい殻に入っていて、そのままでは食べることができません。その殻を割るために使う道具が、昔からある兵隊のかっこうをした木の人形なのです。あごの間に実をはさんで上下からしめつけると、バリバリとくだけて中身が出るしかけです。歯で割るわけですから、ちょっとこわい顔をした人形です。大切に枕元に置いて寝たその日の夜中、人形にネズミの大群がおそいかかりました。きっと口に実のかけらがついていたのでしょう。クララがネズミを追い払うと、人形はとつぜん美しい男性に変身し、自分はお菓子の国の王子だと言うのです。なぜ人形になっていたのか、わけも言ってくれないので困るばかりですが、クララは王子に、お礼としてその国に連れて行ってもらうことになりました。

この作品は「くるみ割り人形」です。ドイツのホフマンが書いた物語が原作で、チャイコフスキーがバレエの音楽として作曲したことで、さらに有名になりました。彼には三つのバレエ曲がありますが、その最後の作品で、バレエは1892年に初演されました。子どもによくわかる内容で、曲想も次々と変わり、あきません。楽器の使い方も見事で、とくに管楽器にはそれぞれの聞かせどころが用意されています。

クララが訪れたお菓子の国での妖精たちの踊りは「性格的な舞曲（キャラクターダンス）」と呼ばれ、組曲として音楽だけでも楽しめるようになっています。チェレスタという鍵盤楽器を使う「金平糖の精の踊り」（お菓子の国の女王）、激しいロシア舞曲「トレパーク」（ロシアケーキの精）、「中国の踊り」（お茶の精）、「アラビアの踊り」（コーヒーの精）、「葦笛の踊り」（巻いた焼き菓子の精）、そして全員での華やかな「花のワルツ」などはとくに有名です。

現在ではいつでも上演されていますが、クリスマスの時期に見るのが一番似合っているでしょう。室内でのBGM（背景に流れる音楽）にもぴったりですね。

■バレエはオペラと同じように見せ場になると物語が停まります。つまり筋の運びとは関係ない踊りが続くのです。「くるみ割り人形」ではお菓子の国での歓迎会がそうですね。どこで、もとの話に戻るのか確認するのを忘れずに。

第154回／2019年12月22日

♥三人の王さまがやってきた

——トランプの王さまじゃないよ

キリスト教では、新年の1月6日は「三王礼拝の日」と定められています。星の導きで東のほうから三人の王さまが、イエス・キリストの誕生を祝いにやってきた日といわれています。クリスマス（12月25日）がキリストの誕生日とすれば、生まれてから13日目ですね。当時はまだアメリカ大陸は発見されておらず、知られていませんでしたから、これで実質的には世界中の王を従えたことになるのです。

イタリアのルネサンス期の画家であるジオット、ボッティチェリの絵を見ると、それぞれ若者のメルキオール（アフリカ）、中年のバルタザール（ヨーロッパ）、老年のカスパール（アジア）という名前で、贈り物として黄金、乳香（香水の原料となる樹脂）、没薬（ゴム樹脂）を持ってきました。これらはそれぞれ、富、健康、徳の象徴とみなされます。ヨーロッパ、とくに南ドイツ地方では、この日に子どもたちが王さまに姿を変え、歌いながらそれぞれの家を回り、お菓子などをもらうという風習が残っています。訪れた印として戸口に「C・B・M」という頭文字を白墨で書き残していくので、1月7日以降にこのあたりを旅行することがあったら、見てください。

三人の王さまのことをあつかったオペラは、イタリア出身のメノッティが作曲した「アマールと夜の訪問者」です。1951年にアメリカのテレビ局で放映するために書かれたもので、時間は1時間ちょうど。子どもたちにもわかりやすい作品です。

足の悪い少年アマールの家に三人の王と家来がやってきて、一晩泊まらせてほしいとたのみます。母親は王たちの宝物を見て、これがあれば息子の足を治す費用になると思い、盗もうとしますが、見つかって責められます。母をかばおうとしたアマールの足がとつぜん治り、これは神の起こした奇跡だということになります。アマールは自分の松葉づえを贈り物としてささげようと、王さまたちとキリストに会いに行きます。物語だけでも感動しますが、音楽が美しく、20世紀のオペラの中では最高傑作でしょう。とくに主人公をボーイソプラノが歌ったとき、作曲者が意図したけなげさや清潔さが表れることでしょう。

■この本の絵にはブルーアイランド・松島・ノトがほぼ登場しています。つまり「B・M・N」となるのですね。Mははじめのころ「人の顔を勝手に描いて……出演料をください」とか言っていましたが、ファンがついたら慣れたみたい。

第155回／2020年1月5日

♥自分のうまさを自慢しないでね

――自戒ですけど

音楽を仕事にして生活している人を「プロフェッショナル」（略してプロ）といいます。一方、趣味にしている人を「アマチュア」（アマ）と呼びます。一般にプロのほうが高い技術を持っていると考えられがちですが、アマでもプロをしのぐ腕前や知識を持っている人がいて、おどろかされます。彼らのことを「ディレッタント」（芸術愛好家）といいます。

私たちの周りにもよくそういう人がいて、会社の社長さんでありながらチェロを弾いていて、リサイタルまで開いてしまう人や、学校の先生をしながら管弦楽の作曲をし、コンクールで賞をとる人もいます。もしかしたら、あなたのお父さんやお母さんもそうかもしれませんね。プロとディレッタントのちがいは、お金をもらっているかどうかだけ、といってもいいでしょう。

歴史上には、何人もそういう人がいました。プロイセン王国（1701～1871年に今のドイツからポーランドにかけて領土とした国）の国王だったフリードリヒ大王はフルートの演奏家で、作曲もしました。大バッハ（ヨハン・セバスティアン・バッハ）を宮殿に呼び、自分で作った主題で即興の演奏をさせました。日本の皇室の方がたも、それぞれ得意の楽器をお持ちですね。
後に「大作曲家」と呼ばれたロシアのムソルグスキーも生前は一時、役人でした。当時は自分のことをディレッタントだと考えていましたし、彼が所属していた「五人組」と呼ばれるメンバーは、バラキレフ以外はみんなそうでした。イギリスのエルガーは40歳になるまで名前を知られなかっただけなので、ディレッタントかというとちょっとちがいますね。

みなさんも将来、そういう方向で音楽と関わるのも一つの方法だと思います。うまくいけば本来の仕事と音楽の両方に気分的に良い効果が表れて、交際の範囲も広がるでしょう。プロの人たちといっしょに演奏する機会もふえてくるものですが、一つだけ心にとめておいてほしいことがあります。それはプロにたいして尊敬の気持ちを忘れないことです。もし自分のほうがうまいと思っても、彼らには広く総合的な力があるはずですから。

■未知の人からCDが送られてきたり、地域での演奏会の後でお宅に招かれたりして、演奏の批評を求められることがあります。これはかなり困ることです。ほめないわけにはいかないし、けなすのはもっとまずいでしょ？

第156回／2020年1月12日

♠初めての先生は……
――覚えていてね

あなたが音楽を習っている人だったとして、初めての先生はどんな方でしたか？　お名前を名字から全部言えますか？　ずっと一人の先生についているという人も、ちゃんと覚えておきましょう。勉強が進むうちに、先生は変わっていくものなのです。

私にピアノを教えてくださった初めての先生は、関 淑子さんとおっしゃる、とてもやさしい女性でした。うつむきかげんの顔に少し縮れた髪の毛がかかっていたのを思い出します。通っていた幼稚園の先生でした。聖ペトロ幼稚園というキリスト教の施設です。先生にペトロとはだれかとたずねたら、「天国の玄関を守っている人」と言われ、あまりえらくないな、と心の中で思っていました。

入園前に、祖母に連れられて幼稚園を見に行ったとき、ピアノのある遊戯室で、放課後にバレエとピアノの教室が開かれていました。バレエのほうは女子ばかりでしたが、ピアノのほうには男子もいて、外からそれを聞いていました。すると、中から先生が出ていらして「あなた、ピアノが好きなんでしょ。入りなさい」と言われ、「何か弾いてごらん」と、すすめられました。今聞いたばかりのピアノ教則本の「バ

イエル65番」を弾くと、席をはずしていた祖母が走ってきて謝りました。すると先生は、「この子はお耳がいいのです。ピアノを習わせてあげてください」と言ったのです。

キリスト教の信者だった先生は、1回目の発表会の後で、「私は明日から神さまのみもとに行きます」と言って修道院に入り、私たちの前から姿を消してしまいました。

長いときがたって、近所の駅で知り合いから、先生が神奈川県鎌倉市の修道院にいらっしゃることを聞きました。すぐにその修道院に電話しました。すでに102歳になられ、今は介護施設に入っていらっしゃるとのこと。かぜをひかれたりするといけないので、暖かくなる春まで会えないと言われました。

とりあえず、先生にささげたピアノ曲集を送りましたが、思い出してくださるでしょうか。忘れてしまっていてもかまわないのです。私は生涯ずっと、関先生のことを語り伝えてピアノを弾いていくのですから。

■現在、若手でもっとも売れている音楽家に鈴木優人という方がいますが、Bは彼が幼稚園児のころに、父上（同級生）から頼まれて手ほどきしたことがあります。そのことを覚えていると人伝に聞いて、とてもうれしく感じました。えらい人は、あまりそう言わないものなので。

第157回／2020年1月19日

◆譜めくりは実は大変——アルバイトとしても

演奏会のとき、ピアニストのとなりに人が座っていることがあります。楽譜をめくる役目のためです。ふつうは音楽が休符などで休みのとき、自分でめくるものですが、ずっと弾き続けている曲などでは、どうしても他人の力を借りなければなりません。それなら、いっそのこと楽譜を暗記（暗譜）してしまえば良さそうなものですね。でも、合奏ではピアノが全員のまとめ役となっていて、だれかがまちがった場合に対応しなければならないので、どうしても楽譜を見ている必要があるのです。

譜めくりを務めるためには、まず楽譜が読めることが必要です。それも音の高さやリズムだけでなく、速さや曲想までも読み取れなければなりません。ページの終わりまで音符がこみ入って並んでいるときは、ピアニストはぎりぎりまで音符を見ていたいものですし、最後の音がのびているときは、早く次のページを見たいものです。また、めくる人の手の影が楽譜に映ると見えなくなってしまいます。ですから、腕の角度や、服のそでの形などにも気づかいが必要です。

しかし、譜めくりにとって一番大切なのは、奏者が安心して演奏に集中できるようにすることなのです。

ピアノが弾けて、自分が上手だと思っている人は、その気持ちがついつい態度に出てしまいがちなので、奏者は緊張してしまうものです。舞台の上で、決して自己主張せずに、温かい雰囲気をかもし出せる人が譜めくり役なら、最高です。

オーケストラの団員でも、弾く分量が極めて多い弦楽器では、譜めくりが必要です。この場合は、二人並んだ奏者の内側の人が演奏を一瞬止めて譜面をめくります。お客に動作が見えないようになっているのですね。いっせいにめくると、「音が半分になってしまうのでは……」と心配になるかもしれませんが、大丈夫です。弾いている人は、その部分だけ強く音を出すように訓練されていますし、何組も同じパートの人がいる場合は、めくる時間をほんの少しずつずらす方法もあるのです。

譜めくりにも、こうした技術が必要なのですね。

■これだけを職業にしている人はいないと思いますが、Bの学生時代は、1回5千円もらった人がいると聞きます（Bはしませんでした）。いい商売です！　でもそれは現代曲の新作だったので、読み取るのがさぞ困難だったのでは……。

第158回／2020年1月26日

♥長い長い「みんなのうた」——1曲ずつは短いよ

テレビで一番の長寿番組は何でしょうか。それはきっとニュースです。そして、歌を紹介する番組の中では、「みんなのうた」ではないでしょうか。NHKのテレビとラジオで放送されている5分間の音楽番組です。なんと、1961年4月から今日まで放送されているのですから！

この番組が始まったとき、私は小学1年生になったばかりでした。オルゴールのようなテーマ曲が流れてから聞こえてきたのは、チェコ民謡「おお牧場はみどり」でした。さわやかな感じの歌だったことを覚えています。当時は、チェコスロバキア民謡と書いてあったと思います。チェコスロバキアは1918年から92年まで続いた中央ヨーロッパの国です。歌は児童合唱でしたが、まだ白黒の画面に若い男女が働いている姿が映ったのを覚えています。それから1年間で、スイス民謡を原曲とする「ホルディリディア」、「おおブレネリ」ポーランド民謡が原曲の「森へ行きましょう」、チェコ民謡が原曲の「牧場の小道」など、それまで知られていなかったヨーロッパの民謡が次々と紹介されました。これらの曲の特徴はひと言でいうと、さわやかな空気のにおいでした。野山の歌が多かったのですが、日本のようなしめっぽい暗さが、全く感じられなかったのです。新作も意欲的に放送されました。当時すでに有名だった中田喜直が作曲した「誰も知らない」や、期待の新人、林　光の「まね」が並んでいました。私はその10年後に林　光の門下生になるのですが、そのときは思いもしませんでした。また、「かあさんの歌」「手のひらを太陽に」のように、別の機会に作られ、放映されたことで爆発的に広まった歌もあります。テレビの力によって音楽が世間に広まった、初めての出来事でした。

これほど長い期間にわたる放映だと、見る人の人生と深い関係が生まれるものです。子どものころに聞いた曲が、頭からはなれないという人も多いでしょう。消えていった曲もありますが、個人の記憶の中には残っているものです。2020年2月現在、もっとも新しい紹介曲は「パプリカ」（米津玄師作詞・作曲）ということになるでしょう。その将来がどうなるかわかりませんが、みんなで歌って踊った楽しさは生涯忘れないでしょう。

■20代から40代にかけて、NHKから声をかけていただいていました。一度は「みんなのうた」に書かせてもらえないかなと思いましたが、ダメでした。でも合唱コンクールの課題曲や番組のテーマ音楽を書けたのですから、本望です！

第159回／2020年2月2日

♥「うたごえ運動」って知ってる?
——歌いながらのスポーツではない

第二次世界大戦が終わった1945年以降、日本の音楽界は自由になりました。戦争中は、敵対していた国の曲は演奏を禁じられていたのです。若い作曲家たちは兵隊にとられたり、工場などで働かされたりして、自分たちの作品を発表することができませんでした。

戦後いち早く流れこんできたのは、となりの国、ロシア(当時はソビエト連邦)の音楽です。これが、わが国に紹介された現代の音楽でした。とはいえ、伝統に根ざした、聞きやすい曲だったので、広く受け入れられたのでしょう。その動きはまず、合唱から始まりました。1947年から日本青年共産同盟が中央コーラス隊(翌年から中央合唱団)を組織し、ロシアの歌を広める活動をしました。これを「うたごえ運動」と呼びます。「うたごえ」とひらがなで書き表したように、だれでも共感できる音楽を紹介したのです。楽譜の出版にも意欲的で、歌のテキスト『青年歌集』を何巻も出しています。

その中にはロシアの革命歌や労働歌、民謡などのほか、当時もっとも若かった作曲家——芥川也寸志、間宮芳生、外山雄三、林光、小林秀雄といった人たちの新作もふくまれていました。また、戦後急激に環境が変化した、日本の地方に伝わる民謡も多く取りあげています。実際的な指導者は声楽家の関 鑑子、チェリストの井上頼豊でした。二人は指揮や講師も務めました。問題だったのは、意欲が先走りすぎて、音楽理論や歌、とくに合唱の技術の向上がともなわなかったことです。私は1970年代にピアニストとして参加しました。そのころでもなお、部屋の四隅で同時にパート練習をしたり（ほかの音が混ざるので練習がむずかしい）、「バイカル湖のほとり」を歌うのに、その地理や風物ばかり調べて、曲の構成については知らなかったりしました。また舞台に上がるときに、はだしだったり、本番が終わった後にみんなで食事をするのはいいとして、一人だけ値段の高い品はたのんではいけない、という決まりがありました。

今となっては、うたごえ運動は昭和という時代の音楽現象としてとらえるべきでしょう。でも、紹介された歌のいくつかは、ずっと歌われ続けているのです。

■関 鑑子先生は、野外での「うたごえの祭典」で指揮をした直後に急逝なさいました。これを含め、初期の運動にはかなり激しく、悲惨な現実がつきまとっています。その最後の時期を垣間見られたことは、貴重な体験でした……。

第160回／2020年2月9日

♠まず あいさつから――どこでもいつでも

先日、東京都西東京市の中学生が将来の夢を発表する会に出席しました。するとおどろいたことに、夢を実現させるためには、何よりもあいさつが大切だという意見が大半だったのです。

ある学校は、会社に勤めたとき、朝のあいさつをする人は社長に重く用いられ、朝のあいさつをしない人は昇進しないようすを、劇仕立てで見せてくれました。ダンスを習っている人は、レッスンのはじめに「おはようございます」（舞台関係では朝以外でもこう言います）とあいさつすることによって、先生にたいする尊敬の気持ちを確認し、自分のやる気を引き出すことができると発言しました。

そうなのです！ 実はその朝、私は共演する相手と駅で会ったのですが、こちらが言葉をかけても何の反応も返してくれませんでした。私は悲しくなり、これからいい演奏ができるかどうか不安になりました。しかし、気分が悪かったのかもしれないし、緊張しているのかもしれないと思って、気を取り直して会場に向かいました。

音楽家の多くは、幼いころから多くの人に会っています。ですから、あいさつの習慣が自然に身につい

ているものですが、どうやら彼は、そうではなかったらしいのですね。それなのに、なぜ共演の相手に選んでいるかというと、あいさつをしないことを大目に見てもいいくらい、すばらしい演奏の質を持っているからなのです。人間は何か足りない部分があれば、それをこえるほかの長所を持たなければなりません。しかし、それは大変なことです。

ですから、まずあいさつをして、相手と良いコミュニケーションを取るのが一番です。もしも病気だったり、声が出なかったりする場合は、先に何かの方法で伝える必要があります。精いっぱいの表現をすれば、きっと理解してもらえるでしょう。きらいな人にあいさつするなんて……などと思わないで、演技として考えればいいのです。家から一歩出たら、そこはあなたにとっての舞台なのですから。

私はこれからもずっと、けいこや音楽会の始まりであいさつをするでしょう。自分の下手さをおぎなっているつもりはないのですが……。

■彼があいさつをしないのは、行きがかり上、音楽をやっているから（らしい）です。でもそれはBも同じで、本当は少女漫画家になりたかったのですから。でもだれかから頼まれたら仕事だと思って、気分良くやろうとしています。

第161回／2020年2月16日

♥「第九」はなぜすごい!?
——聞けばわかります

どの曲を一番すばらしいと感じるかは、人によってちがうと思いますが、ベートーヴェンの「第九」といえば、だれでも納得するはずです。4楽章で1時間をこえる長さや、千人をこえる出演者で演奏できる規模の大きさ、聴覚の障がいを乗りこえて長年かけて作曲した苦労などはこの際、置いておきましょう。聞き終わった後、演奏し終えた後に気持ちが高まることについても、あまりほめるのはやめて、冷静に考えてみれば、次のようになります。何よりも発想が新しいこと。まず「交響曲」という、ほんの少し前までは楽しんで聞くBGM（背景に流れる曲）だった音楽の芸術性を、生涯をかけてみがき、その頂点に位置するまでに高めた作品なのです。それまでの作曲家のように一つの楽章だけを取り出して聞けるように書くのではなく、全部がつながりを持っているのです。

正式な題名は「シラー作詞、頌歌『歓喜に寄す』を終末合唱に持つ、大管弦楽・4声の独唱・4声の合唱のために作曲された交響曲」ですが、その合唱もはじめから歌うのではなく、終楽章が長調になった部分で使われること。大体において、器楽曲として演奏されるはずの交響曲で声楽を用いることからして変わっています。シラーの詩「歓喜に寄す」を歌詞にしているので、文学を加えたことにより、次のロマン主義の時代に入りこんでいます。「歓喜の歌」の主題は、単純でだれでも歌え、それが変奏されて盛りあがること。それまでの変奏曲は子どものピアノ曲と同じように考えられていたのですから！　そして、前の3楽章の音楽をすべて否定したところで歌われるのです。つまり、作曲家は常に新しさを求めていたことになります。しかし、困ったこともあります。アルトのパートがあまりおもしろくないこと、独唱が歌いにくいこと、ファゴットより1オクターブ低い音域のコントラファゴットが無意味であることが指摘されています。また「第九」があまりに偉大すぎるため、次の時代の作曲家たちがおびえてしまい、比べられるのを恐れて、交響曲を書きづらくなってしまったのです。

　でも作曲家ではない私たちは、「楽聖」からの最高の贈り物として、一生聞き続けることにしようではありませんか。

■「第九」に初めて参加したのは高校1年でした。みなさんも参加できますが、一つ注意しておきたいのは、はじめはそう言われないのに、券を売ることを強制されることです。不可能ならはっきり拒否するか、その時点で辞めてもかまいません。

第162回／2020年2月23日

♥日本の歌の王さまは……

——電車に乗っていました

歌の曲に関しては、日本は世界のどの国と比べても負けないほど、多くの作品を持っています。その基礎は、戦前に山田耕筰によって築かれました。それを現在のように華やかに発展させたのは、中田喜直（１９２３〜２０００年）の功績です。幼い子どもも覚えられるような童謡からポピュラーソング、芸術的で演奏会向きの歌曲や合唱曲まで、声楽曲で書いていない分野はほとんどないといってもいいでしょう。

彼はオルガン演奏家の父、中田章のすすめもあり、幼いころから音楽に親しみ、とくにピアノと作曲がとても上手でした。東京音楽学校（東京芸術大学音楽学部の前身）に進みましたが、兵隊として戦争にかり出され、自由な音楽活動はできませんでした。しかし、戦後いち早く「六つの子供の歌」（１９４７年）を発表して第一線に立ちました。これは学生時代に伴奏したフランス歌曲、とくにフォーレの影響が感じられる美しい作品です。表現の幅が広く、それまでの曲にはなかったあやしさ、心の重たい感じまでがもりこまれているのが特徴です。そして、新しい活動を始めたＮＨＫから依頼されて、「ホームソング」と呼ばれる、広い世代に愛される歌を次々と世におくり出しました。とくに、四季それぞれに歌われる

「めだかの学校」「夏の思い出」「ちいさい秋みつけた」「雪の降る街を」は、話し言葉とピッタリ合った自然な旋律で、世代をこえて愛されています。原曲とちがった歌い方で広まっている曲もありますが（「夏の思い出」の最後など）、作曲家は「民謡になったと思うと、うれしい」と言っています。

ただ、あまりにも広く知れわたっている曲ばかりだからなのか、作曲者の目の前で音楽の教科書を見ながら「この中田って人、もうとっくに死んでいるよね」と言うのを聞いて、とても腹が立ったが電車の中だったのでだまっていた、と話してくれたことがあります。また、不法に複製した楽譜には決してサインをしませんでした。

もし今、先生の曲を歌って「死んでるよね」と言ったら、きっと天国から「でも歌は生きていますよ」と返事をしてくれるでしょうね。そんな愛すべき方でした。

■中田先生とBとは共通点があります。たばこがきらい、ピアノが好き、のほかに、女性的とされる、やわらかな言葉づかいがあります。二人とも体が弱く、先生は母上に、Bは祖母に育てられたからでしょう。女性同士の会話みたいだと言われました。

第163回／2020年3月1日

♥日本だけのめずらしい歌劇団

――さがせばどこかにあるかも

劇は一般に男女の俳優によって演じられます。とくに歌が入った音楽劇は、声の音域が広がって華やかになることからも、そのように配役されます。しかし、日本には男性だけ、女性だけで構成されている歌劇団があり、世界でもめずらしいといわれています。

男性だけで演じる代表的な例は、歌舞伎です。歌舞伎は江戸時代初期から現代まで、日本を代表する芸能となっています。はじめは女性の俳優もいましたが、途中から男性だけになり、女性役は「女形」という役がらの男性が演じるようになりました。彼らはしぐさや声色を研究して、舞台で女性に見えるようにさまざまな工夫をこらします。

女性だけの歌劇団は宝塚歌劇団です。こちらはずっと新しく、1914年（大正3年）に兵庫県宝塚市の温泉地で始められました。まだ男女交際が自由でない時代だったこともあり、女性による女性のための舞台という性格を強く打ち出していました。やはり、男役と娘役に分かれていて、歌舞伎もそうですが、役がらが入れかわることはありません。男役の俳優は舞台ではズボン姿で、踊りもダイナミックです。つまり女性があこがれるような美しい男性を演じるのです。声は低音域をきたえます。娘役のソプラノにたいしてアルトの音域ですね。しばしば男性のテノールに達するほどで、男の人が歌っているかと思うほどです。

どちらも新しい分野を意欲的に切り開き、宙づりになって空を飛ぶような「スーパー歌舞伎」も生まれています。また、宝塚には漫画を題材にした作品もあります。少女漫画だけではなく、少年漫画の特殊なキャラクターまで演じて大評判になりました。ただ一つ問題なのは、異性をキャストに加えないことですが、これは活動の方向性がそうなので、永遠にくつがえされることはないでしょう。一方、歌舞伎のほうは最近、器楽の演奏者に女性を受け入れるようになっています。宝塚にもオーケストラには男性がいます。参加したい人は、このようなスタッフ（裏方）として舞台をかげで支えたり、ファンになったりして応援したらいいかがでしょうか。

■「ポーの一族」（萩尾望都原作）を見に宝塚へひさしぶりに行きました。以前は女声合唱（三部）だったのに、今ではなんと混声合唱（四部）で歌っていました。男性がいるわけはないので、きっと低音域を開発したのでしょうね。

第164回／2020年3月8日

♥能楽は日本最初のオペラ　――眠くなる……

日本では室町時代（1336～1573年）に、現在につながる舞台芸能が始まりました。その一つが「能楽」です。能楽は、舞と謡が中心となる「能」と、せりふ劇である「狂言」に分かれます。そのころの政治の中心地だった関西で発展していきました。

能と狂言はもともと一つでした。それ以前から演じられていた、おどけた感じでおもしろい内容の「猿楽」を、観阿弥（1333～84年）が能と狂言に分けたのです。その結果、味わい深さと笑いの対比がきわだつようになりました。今では、能の二つの作品の間に狂言をはさんで上演されることが多いですが、西洋のオペラの初期もそうで、なんと、まじめで長い作品を2幕に分けて、その間に楽しい作品を入れていたのです。観阿弥の後を引きついだのが、息子の世阿弥（1363?～1443年）です。彼は古典文学や和歌を取り入れて台本を書きました。能は、霊などが出てくる「敦盛」などや、歴史上の事件を描く「安宅」などの2種類に分けられ、後に「夢幻能」「現在能」と呼ばれます（「安宅」は江戸時代に歌舞伎の「勧進帳」になります）。1400年から『風姿花伝』を書き、世界でもっとも早い時期の演劇論とし

て、後の人に影響をあたえました。

能は舞台に、主役で面をつける「シテ」と、面をつけない「ワキ」が登場し、それぞれが舞と謡を受け持ちます。舞台の右わきには合唱である地謡が、奥にはオーケストラである囃子方が座り、物語の情景を説明します。つまり、オペラやミュージカルと全く同じなのですね。

狂言は当時の話し言葉が使われますが、そのしゃべり方は、誇張された高低を持ち、リズムに決まりがあります。流行していた舞や歌も加わっていますので、やはりこれも音楽劇なのです。能は長くてたいくつ……という人（私もそうです）は、テンポの速い「附子」（砂糖のこと）や「棒縛」などの狂言から入るのがいいでしょう。現在では能楽家もジャンルをこえた活動をするようになりました。

友だちに観世、野村という名字の人がいたら、そのルーツをたずねてみてください。案外、能楽の家系でいろいろ教えてくれるかもしれませんよ！

■能楽の人間国宝の演者と話す機会があって、いつも疑問に思っていることをたずねました。おどろいたことに能面は閉じていて、全く外が見えずに演じているそうです。また、国宝になったとたんに、仕事がこなくなったとおっしゃっていました。

第165回／2020年3月15日

♥最初のオペラ体験には……

——私の曲も聞いてね

初めて何かを体験したときの印象で、その後の好ききらいが決まることはよくあります。オペラの場合、小学生くらいの子どもが見るにはいろいろと問題があります。上演時間が長い、言葉がわからない、大人っぽいなど、困る原因はいくつもあります。そこでおすすめしたいのは、小学生向けに作られた日本の作品です。はたしてそんな曲があるのかというと、「あまんじゃくとうりこひめ」がそうです。「オペラはどういうものかを30分で知らせる」ために作られたというのですから、ぴったりです。1958年にNHKテレビで放映されました。若林一郎台本、林 光作曲で、この二人はその後、新作オペラの力強いにない手となります。

民話を題材として、あまんじゃくは決して悪者ではなかったと結ばれる結末は、ほのぼのとした温かさを感じますし、何よりも音楽がすばらしいです。村の一日のようすを、だれもが共感できる旋律と和音で表現しています。この1作で、映像につける音楽の書き方を決定してしまったほどです。また、序曲、アリア（独唱）、レチタティーヴォ（話し言葉で語るような独唱）、重唱、せりふと、オペラに用いる形式のすべてがもりこまれています。役は6人で、声の種類のちがいを知ることができ、しかもさほどむずかしくないので、歌おうと思えばすぐ歌えそうです。それぞれの役には主導動機（決まった音楽）があるため、聞く人は役がらのちがいがわかりやすいし、音楽の統一感を出すことにも成功しています。とくにうりこひめの機織りの音楽は、たった1小節の印象的な音型ですが、実はあまんじゃくの歌も同じ音型から出ていて、二人は、一人の子のちがう側面を表しているといえそうです。

ただ一つ上演しづらいのは、大道具として機織り道具をどう作るかということですね（借りてきましょう……）。楽譜も出版されていて入手しやすいので、ぜひピアノ伴奏で歌ってみてください。

ほかにも1980年代にNHK教育テレビで放映された「夜だけまほう使い」「海賊船長の子守歌」（どちらも鈴木悦夫台本、青島広志作曲）もあります。小学生向きで15分の曲ですから、こちらもどうぞ。「あまんじゃく」には負けますけどね。

■ちょうど今、林先生の作品に続くオペラを書いています。漫画家、諸星大二郎さんの原作で、大人になったうりこひめと、彼女を好きになったあまんじゃくの関係を描いています。この本のおかげで完成が遅れていますけど。

第166回／2020年3月22日

♣フィナーレとコーダの終わり方

――さようなら

組曲（ひと続きの音楽作品）の最終曲を「フィナーレ」と呼びます。また、曲の終わりの部分を「コーダ」といいます。音楽以外でもよく使われる言葉ですね。作曲するときにもっとも工夫をこらすのは、実はこの部分です。曲の始まりも聞く人をとらえるために重要ですが、やはり終わり方は強い印象を残すものですから。

終わり方の定型を作ったのは、ベートーヴェンだと考えられています。代表作の9曲ある交響曲や、計32曲あるピアノ・ソナタの大部分は、強い終止の和音が何度も響き、聞いている人が思わず拍手せずにはいられないほどです。演奏する側も、ここで全精力を使い切るという達成感が味わえます。例として、交響曲第5番「運命」では、終楽章の終わりの29小節間（休符もふくめて）は、その調の主和音（代表する和音）のドミソだけが演奏されますが、実はその26小節前からもコーダは準備されています。また、最後の交響曲第9番「合唱つき」は、21小節間の主和音で終わり、少し短めですが、終楽章で歌われる「歓喜の歌」の喜ばしさがとどろきわたります。拍手は音の余いんが消えた後にするのが良いと言われますが、

この2曲に関しては、間をあけずにほとんど同時に手をたたきたくなることでしょう。

ベートーヴェンの影響を受けた19世紀の作曲家たちは、同様にはっきりとした終わり方を好みました。たとえば、「チェコ近代音楽の父」と呼ばれるスメタナの交響詩「モルダウ」は、川がはるか向こうの海にそそぐようすを長いディミヌエンド（だんだん弱く）で描いているのに、終わったかと思うと、とつぜんフォルティッシモ（とても強く）で終止の和音が出ておどろかされます。放送では、それを知らない係の人が、その前で打ち切ってしまったこともありました。しかし20世紀に入ると、どこで終わったのかわからないようなコーダを持つ曲も書かれ始めています。これはかなり大人っぽい作曲法です。すぐ拍手はしにくいかわりに、それまでの音楽をゆっくりと思いやることができるでしょう。

この2種類の終わり方は、もしかすると私たちの生き方を示しているのかも……。どちらもすてきですけどね。

■創作者はだれしも、仕事を終えたくないものです。表現の場を失うことが一番の理由ですが、そこで関係した人たちと別れたくないのです。でも作品が形として残ればうれしいですね。その人たちの記憶もそこに残るのですから。この文もそうなるでしょうか？

第167回／2020年3月29日

何人
音楽家にする？
あ〜
いそがし

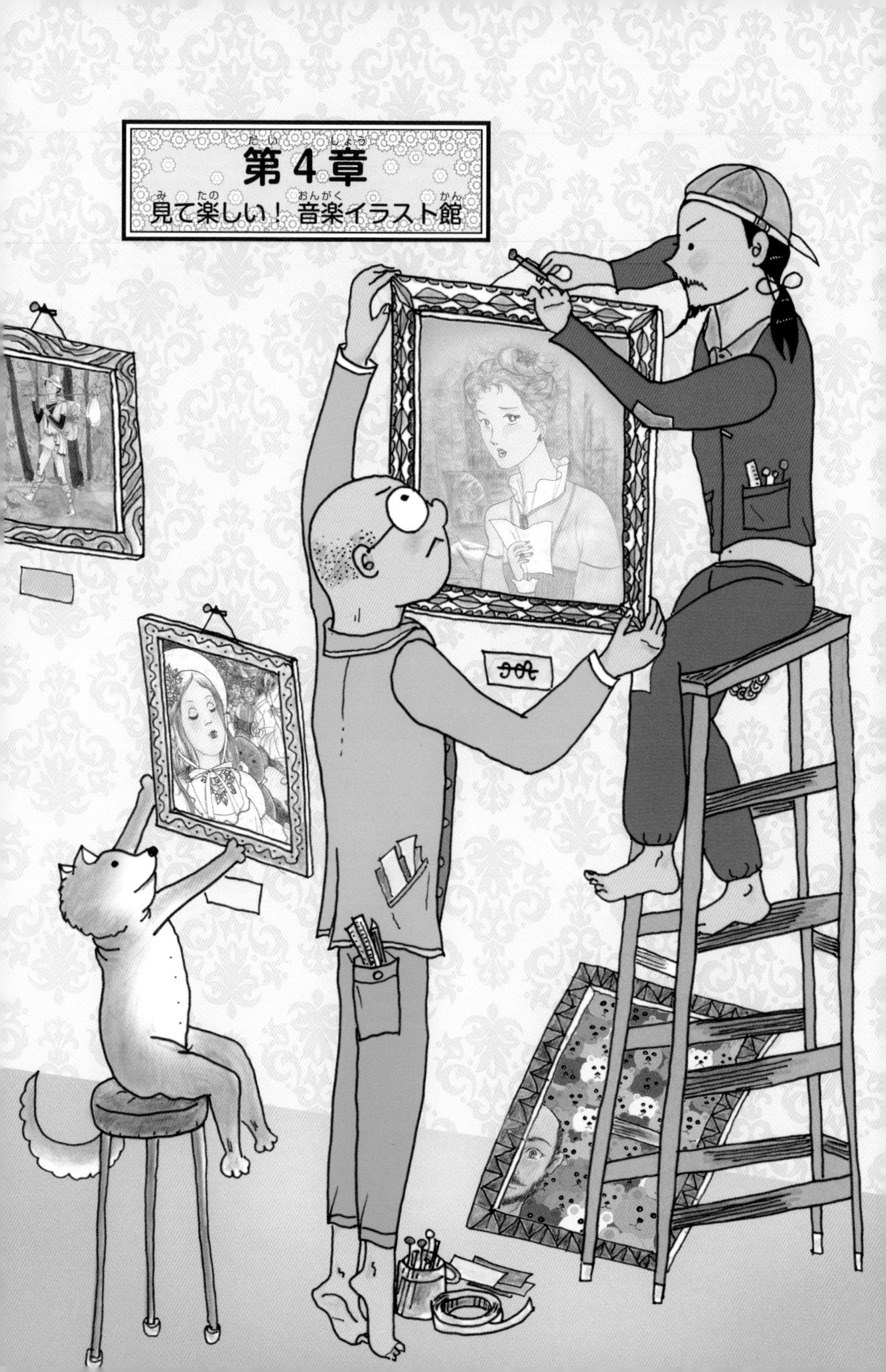
第4章
見て楽しい！ 音楽イラスト館

第3回／2017年1月22日／18ページ

どうしてドレミ？

ベートーヴェンはなぜこわい？

第1回／2017年1月8日／14ページ

とくに男の子は歌ってね！

第4回／2017年1月29日／20ページ

第2回／2017年1月15日／16ページ

モーツァルトはとにかく楽しい！

チャイコフスキーはかわいそう……

第7回／2017年2月19日／26ページ

第5回／2017年2月5日／22ページ

あなたの校歌はどんな歌!?

第8回／2017年2月26日／28ページ

吹奏楽はカッコいい！

ピアノって便利！

第6回／2017年2月12日／24ページ

第11回／2017年3月19日／34ページ

日本で初めての作曲家は……

なぜ女性作曲家は少ないの？

第9回／2017年3月5日／30ページ

ポピュラーって？ クラシックって？

第12回／2017年3月26日／36ページ

第10回／2017年3月12日／32ページ

音楽の仕事って楽しいのかな？

第13回／2017年4月2日／38ページ

あがっちゃう人はこうしてみよう

ショパンは病気がち……

第14回／2017年4月9日／40ページ

ほかの教科との関係は？

第15回／2017年4月16日／42ページ

第16回／2017年4月23日／44ページ

和音に耳をすませましょう！

第19回／2017年5月14日／50ページ

便利なコンピューターのかげに……

バッハはなぜえらい？

第17回／2017年4月30日／46ページ

シューマンは別の世界へ

第20回／2017年5月21日／52ページ

第18回／2017年5月7日／48ページ

オルガンってピアノじゃないの？

ブラームスはきまじめ（すぎるかも）

第23回／2017年6月11日／58ページ

第21回／2017年5月28日／54ページ

曲はサンドイッチの形

第24回／2017年6月18日／60ページ

オペラを見に来てね！

オーケストラは豪華な響き

第22回／2017年6月4日／56ページ

第27回／2017年7月9日／66ページ

変声はヘンシン！

バレエってはずかしいですか!?

第25回／2017年6月25日／62ページ

ケージはびっくりさせるのが好き！

第28回／2017年7月16日／68ページ

第26回／2017年7月2日／64ページ

シューベルトはおどおど……

ソナタもサンドイッチのかっこう

第31回／2017年8月6日／74ページ

第29回／2017年7月23日／70ページ

どんな曲にも作者がいるのですよ

第32回／2017年8月13日／76ページ

ハイドンさんはアイデアマン

パーカッションは何でも屋さん

第30回／2017年7月30日／72ページ

第35回／2017年9月3日／82ページ

1曲だけしか書かなかったの？

使ってはいけない言葉

第33回／2017年8月20日／78ページ

邦楽器は異文化体験

第36回／2017年9月10日／84ページ

第34回／2017年8月27日／80ページ

ソルフェージュなんて知らないよ

カノンは永久に

第39回／2017年10月1日／90ページ

第37回／2017年9月17日／86ページ

バロックがゆがんだ音楽とは！

第40回／2017年10月8日／92ページ

鑑賞教室をもっと楽しく

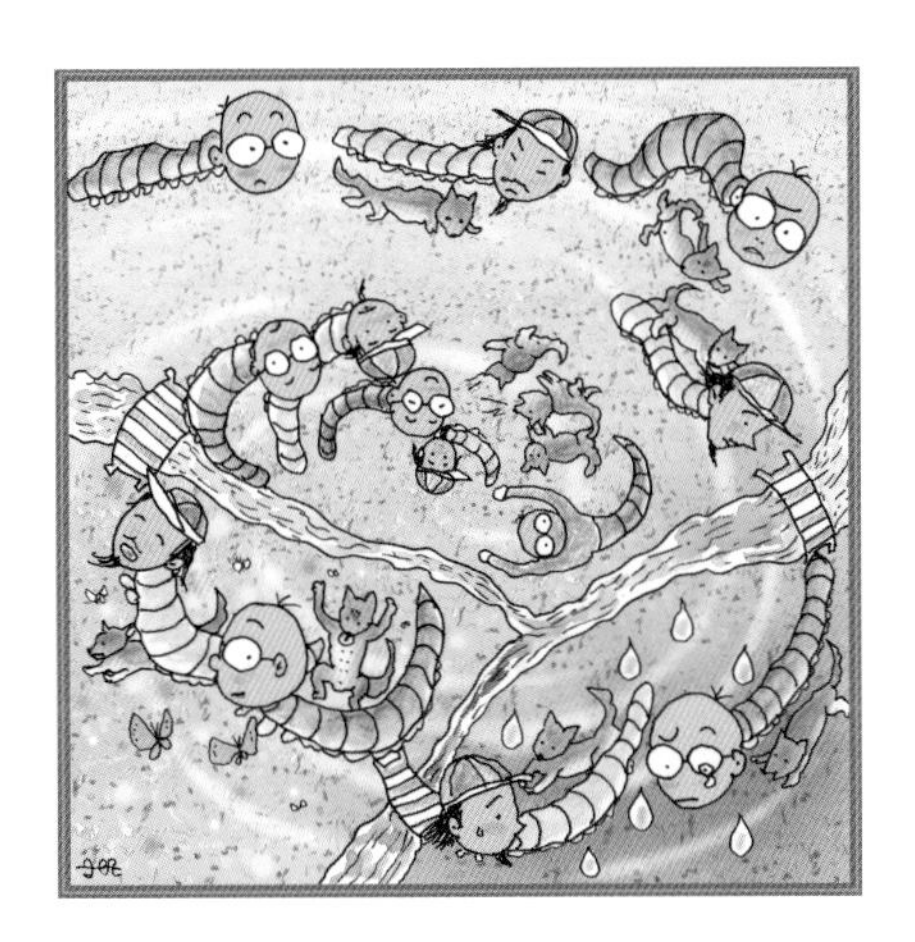

フーガは追いかけっこで
聞きにくい！

第38回／2017年9月24日／88ページ

第43回／2017年10月29日／98ページ

プレゼントは何がいい?!

ドビュッシーはふにゃふにゃ……

第41回／2017年10月15日／94ページ

ト音記号はソ音記号

第44回／2017年11月5日／100ページ

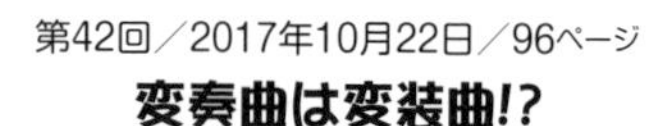

第42回／2017年10月22日／96ページ

変奏曲は変装曲!?

チラシは予習で
プログラムは復習にも

第47回／2017年11月26日／106ページ

第45回／2017年11月12日／102ページ

ミュージカルって音の遊園地

第48回／2017年12月3日／108ページ

なぜ「ド」は「A」じゃなく
「C」なの!?

ヨハン・シュトラウスは
踊りたくなる！

第46回／2017年11月19日／104ページ

第51回／2017年12月24日／114ページ

神さまの曲もちょっとだけ……

ドヴォルザークは不器用だけど……

第49回／2017年12月10日／110ページ

もう一晩ねるとお正月！

第52回／2017年12月31日／116ページ

第50回／2017年12月17日／112ページ

12月は幸せな音楽が！

唱歌が忘れられていきそう……

第55回／2018年1月21日／124ページ

第53回／2018年1月7日／120ページ

五人集まればこわくない！

第56回／2018年1月28日／126ページ

子どもの歌は江戸時代から……

六人組もいるんだぞ！

第54回／2018年1月14日／122ページ

第59回／2018年2月18日／132ページ

オペラ王は悲しいのがお好き

ヴィヴァルディは即決主義

第57回／2018年2月4日／128ページ

オペラ王子は日本が大好き

第60回／2018年2月25日／134ページ

第58回／2018年2月11日／130ページ

日本音楽の父はおちゃめ

アニメの歌で育つ私たち

第63回／2018年3月18日／140ページ

第61回／2018年3月4日／136ページ

指揮者って演奏家なの？

第64回／2018年3月25日／142ページ

ギリシア神話と音楽

半丸書いて点は何の印？

第62回／2018年3月11日／138ページ

第67回／2018年4月15日／148ページ

保育園・幼稚園の先生になるには

エープリルフールみたいな音楽

第65回／2018年4月1日／144ページ

ラフレシアの歌を作ろう！

第68回／2018年4月22日／150ページ

第66回／2018年4月8日／146ページ

学校の音楽の先生になるには

「バイエル」って人の名前だったの?!

第71回／2018年5月13日／156ページ

第69回／2018年4月29日／152ページ

ワーグナーはやりすぎの人

第72回／2018年5月20日／158ページ

魔王はいったいだれなのか？

神さまは聞いているかな!?

第70回／2018年5月6日／154ページ

第75回／2018年6月10日／164ページ

ベルリオーズは見習わないで!!

ウナギの曲ってどんな曲?!

第73回／2018年5月27日／160ページ

ワルツは大人の踊り

第76回／2018年6月17日／166ページ

第74回／2018年6月3日／162ページ

レオポンってかわいそう……

第77回／2018年6月24日／168ページ

けっこうしんどいメヌエット

ピアノの置き方・開け方

第78回／2018年7月1日／170ページ

トイレは1時間ぐらいがまんして

第79回／2018年7月8日／172ページ

第80回／2018年7月15日／174ページ

なぜ作曲をやめちゃったの？

第83回／2018年8月5日／180ページ

どんどんまねしよう

何が何でも戦争はダメ!!

第84回／2018年8月12日／182ページ

一家に1冊『ソナチネ・アルバム』

第81回／2018年7月22日／176ページ

第82回／2018年7月29日／178ページ

夏を過ごすさまざまな曲

ウェーバーは流行に敏感
第87回／2018年9月2日／188ページ

第85回／2018年8月19日／184ページ
名前には意味がある！

第88回／2018年9月9日／190ページ
魔法にかかりに劇場へ

スポーツに音楽は必要かしら？
第86回／2018年8月26日／186ページ

第91回／2018年9月30日／196ページ

オペラの発明家は?!

子守歌は最初の音楽

第89回／2018年9月16日／192ページ

あなただけの訳詞を作ってみてね

第92回／2018年10月7日／198ページ

第90回／2018年9月23日／194ページ

時をへだてて……

「さん」なの？「先生」なの？

第95回／2018年10月28日／204ページ

第93回／2018年10月14日／200ページ

秋の歌って、正反対！

第96回／2018年11月4日／206ページ

「好敵手」っていますか？

変わってしまったもとの意味

第94回／2018年10月21日／202ページ

男の人だけが歌う

第97回／2018年11月11日／208ページ

第98回／2018年11月18日／210ページ

音楽に男女のちがいはあるの？

第99回／2018年11月25日／212ページ

合唱の始まりは……

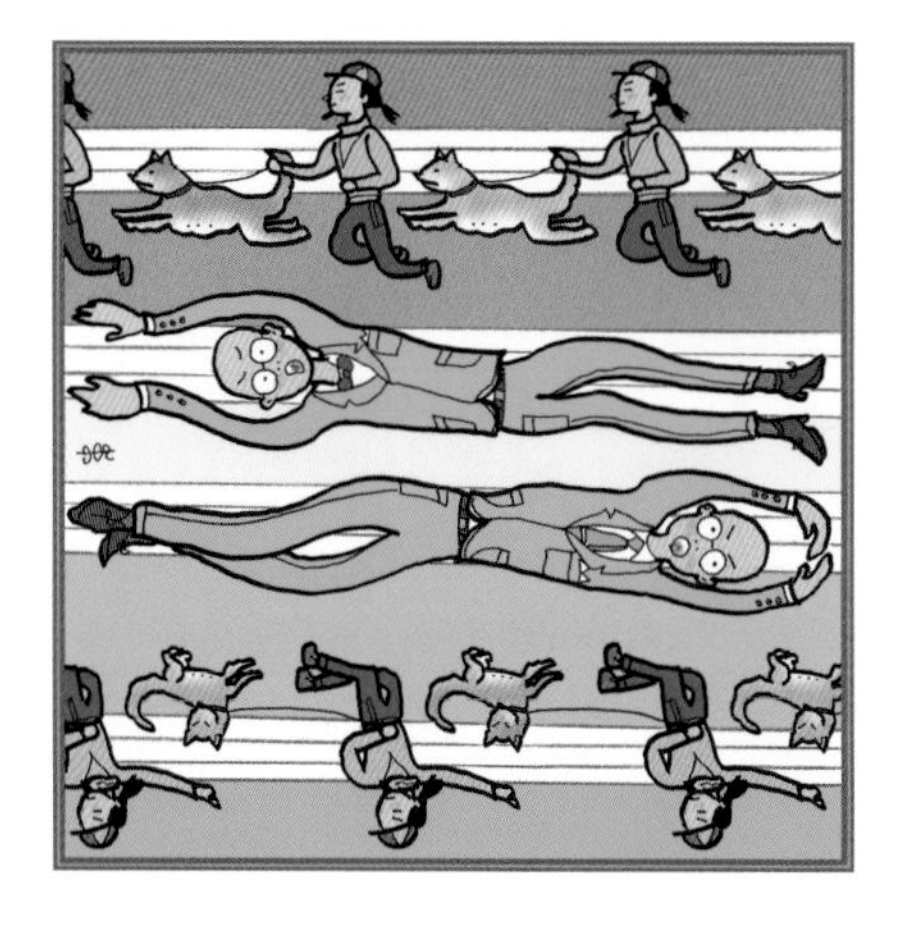

あれ？ 楽譜がちがっているよ

第100回／2018年12月2日／214ページ

作曲家の呼び方はいろいろ……

第103回／2018年12月23日／220ページ

第101回／2018年12月9日／216ページ

劇の見どころは……ゲキバン！

第104回／2019年1月6日／224ページ

新年の音楽を聞いてね！

「音楽の母」は大巨顔

第102回／2018年12月16日／218ページ

第107回／2019年1月27日／230ページ

幽霊も出るよ！
20世紀後半のオペラ

コロラトゥーラは声の楽器

第105回／2019年1月13日／226ページ

ショスタコーヴィチは気の毒

第108回／2019年2月3日／232ページ

第106回／2019年1月20日／228ページ

音符にも書き順がある

バトントワリングって音楽？

第111回／2019年2月24日／238ページ

第109回／2019年2月10日／234ページ

エルガーは奥さんのおかげで

第112回／2019年3月3日／240ページ

ふしぎな「ひなまつり」

吹奏楽ってスポーツ？

第110回／2019年2月17日／236ページ

謝肉祭って知ってる？

第113回／2019年3月10日／242ページ

第114回／2019年3月17日／244ページ

よくわからないが、緊張する音楽

第115回／2019年3月24日／246ページ

卒業式で歌うのは……

お誕生日はいつですか？

第116回／2019年3月31日／248ページ

ワルプルギスの夜はさわがしい

第119回／2019年4月21日／254ページ

第117回／2019年4月7日／250ページ

一番有名な春の曲は？

第120回／2019年4月28日／256ページ

平成の音楽をふり返って

曲のプレゼントって……

第118回／2019年4月14日／252ページ

第123回／2019年5月19日／262ページ

転んでもただでは起きない
ピアノ音楽の父

お子さまのための音楽
第121回／2019年5月5日／258ページ

ジャジャジャジャーンと登場「運命」
第124回／2019年5月26日／264ページ

第122回／2019年5月12日／260ページ

ロマはすっくと立っている……

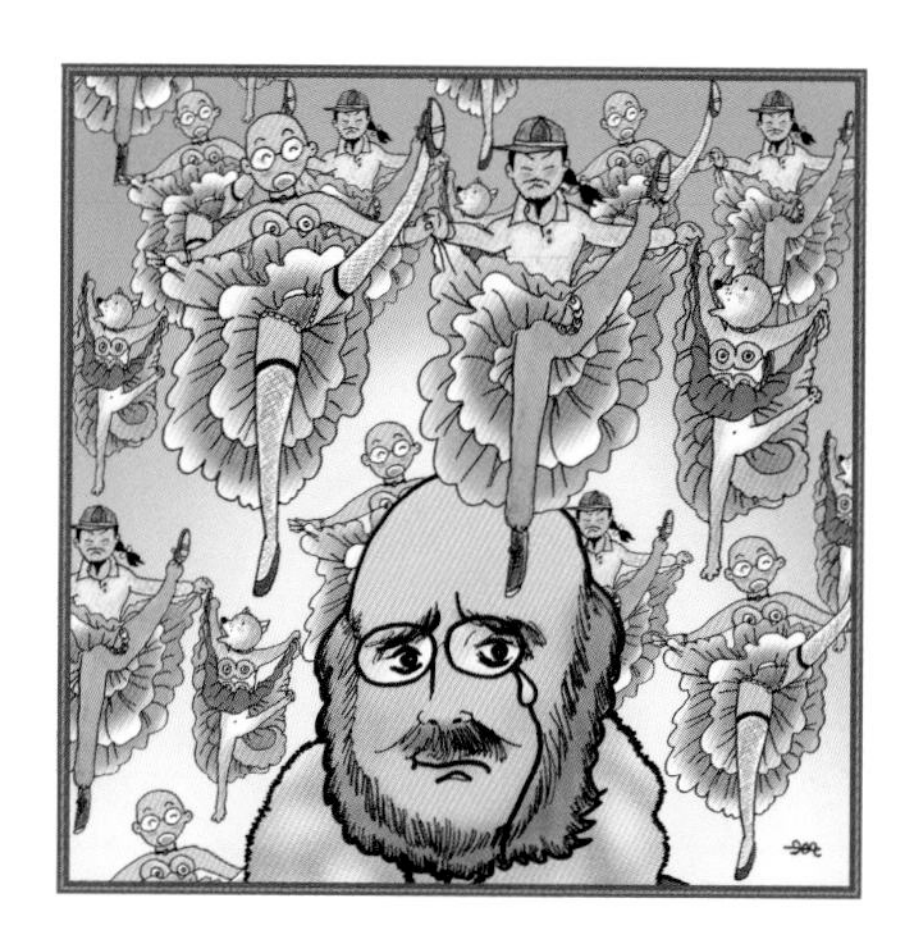

オッフェンバックは「オペレッタの父」

第127回／2019年6月16日／270ページ

第125回／2019年6月2日／266ページ

コードネームは便利だけど、でも……

第128回／2019年6月23日／272ページ

雨の音楽は地域限定……

コレペティートルはオペラの先生

第126回／2019年6月9日／268ページ

第131回／2019年7月14日／278ページ

沖縄の音楽はふしぎな感じ……

作品番号はだれがつけるの？

第129回／2019年6月30日／274ページ

「アイネ・クライネ……」は失敗作?!

第132回／2019年7月21日／280ページ

第130回／2019年7月7日／276ページ

「たなばたさま」の伴奏を考えましょう

「田園」
……こわい曲と同時に明るい曲も
第135回／2019年8月11日／286ページ

第133回／2019年7月28日／282ページ
夏休みこそ音楽の季節

第136回／2019年8月18日／288ページ
子どもの能力をどう伸ばす？

ぼくたちも作曲家親子
……スカルラッティ
第134回／2019年8月4日／284ページ

第139回／2019年9月8日／294ページ

通奏低音は手ぬきの作曲法

沈黙の恐ろしさ

第137回／2019年8月25日／290ページ

民謡って、むずかしいです！

第140回／2019年9月15日／296ページ

第138回／2019年9月1日／292ページ

「個性がない」のが個性

動物って、音楽がわかるの？

第143回／2019年10月6日／302ページ

第141回／2019年9月22日／298ページ

語りが主役の「ピーターと狼」

第144回／2019年10月13日／304ページ

西のカラヤン、東のバーンスタイン

ジャズを楽譜にしたガーシュイン

第142回／2019年9月29日／300ページ

第147回／2019年11月3日／310ページ

「文化」について考える

はっきりした声を出し続けてね

第145回／2019年10月20日／306ページ

「モルダウ」は理科と社会の勉強です

第148回／2019年11月10日／312ページ

第146回／2019年10月27日／308ページ

「赤い鳥」ってどこにいるの？

マザーグースは英語のわらべ歌

第151回／2019年12月1日／318ページ

第149回／2019年11月17日／314ページ

カラス なぜなかないの？

第152回／2019年12月8日／320ページ

パトロンは神さまです！

ビゼーは不運続き でも……

第150回／2019年11月24日／316ページ

第155回／2020年1月5日／326ページ

三人の王さまがやってきた

バルトークは民謡が大好き！

第153回／2019年12月15日／322ページ

自分のうまさを自慢しないでね

第156回／2020年1月12日／328ページ

第154回／2019年12月22日／324ページ

クリスマスのプレゼントは……？

長い長い「みんなのうた」

第159回／2020年2月2日／334ページ

第157回／2020年1月19日／330ページ

初めての先生は……

第160回／2020年2月9日／336ページ

「うたごえ運動」って知ってる？

譜めくりは実は大変

第158回／2020年1月26日／332ページ

第163回／2020年3月1日／342ページ

日本の歌の王さまは……

まず あいさつから

第161回／2020年2月16日／338ページ

日本だけのめずらしい歌劇団

第164回／2020年3月8日／344ページ

第162回／2020年2月23日／340ページ

「第九」はなぜすごい!?

フィナーレとコーダの終わり方

第167回／2020年3月29日／350ページ

第165回／2020年3月15日／346ページ

能楽は日本最初のオペラ

最初のオペラ体験には……

第166回／2020年3月22日／348ページ

この本に登場する主な人びと

名前／生没年／国名／イラストに登場する回

◆中世ーバロック

●パレストリーナ、ジョヴァンニ・ピエルルイジ・ダ
1525頃-1594／イタリア

●モンテヴェルディ、クラウディオ
1567-1643／イタリア／第37・91回

●リュリ、ジャン＝バティスト
1632-1687／フランス

パレストリーナ　リュリ

●スカルラッティ、アレッサンドロ
1660-1725／イタリア／第134回

●スカルラッティ、ドメニコ
1685-1757／イタリア／第134回

●ヴィヴァルディ、アントニオ
1678-1741／イタリア／第117回

●バッハ、ヨハン・セバスティアン
1685-1750／ドイツ／第17回

●ヘンデル、ゲオルク・フリードリヒ
1685-1759／ドイツ→イギリス／第102・103回

◆古典派

●ハイドン、フランツ・ヨーゼフ
1732-1809／オーストリア／第32回

●クレメンティ、ムツィオ
1752-1832／イタリア→イギリス／第123回

●モーツァルト、ヴォルフガング・アマデウス
1756-1791／オーストリア／第2・132回

●ベートーヴェン、ルートヴィヒ・ヴァン
1770-1827／ドイツ→オーストリア／第1・124・162回

◆ロマン派

●ウェーバー、カール・マリア・フォン
1786-1826／ドイツ／第87回

●ロッシーニ、ジョアッキーノ
1792-1868／イタリア／第80回

●シューベルト、フランツ
1797-1828／オーストリア／第26・103回

●ドニゼッティ、ガエターノ
1797-1848／イタリア／第96回

●ベッリーニ、ヴィンチェンツォ
1801-1835／イタリア／第96回

●ベルリオーズ、エクトル
1803-1869／フランス／第75回

●バイエル、フェルディナント
1806-1863／ドイツ／第71回

●ブルクミュラー、ヨハン・フリードリヒ・フランツ
1806-1874／ドイツ→フランス／第85回

●メンデルスゾーン、フェリックス・バルトルディ
1809-1847／ドイツ

●ショパン、フレデリック・フランソワ
1810-1849／ポーランド→フランス／第4・103回

●シューマン、ロベルト
1810-1856／ドイツ／第20回

●リスト、フランツ
1811-1886／ハンガリー→フランス

●ワーグナー、リヒャルト
1813-1883／ドイツ／第69回

メンデルスゾーン　リスト

●ヴェルディ、ジュゼッペ
1813-1901／イタリア

●グノー、シャルル
1818-1893／フランス

●オッフェンバック、ジャック
1819-1880／ドイツ→フランス／第127回

●スメタナ、ベドルジハ
1824-1884／チェコ

●シュトラウス2世、ヨハン
1825-1899／オーストリア／第46回

●ミンクス、レオン
1826-1917／オーストリア→ロシア／第138回

●ボロディン、アレクサンドル
1833-1887／ロシア／第53回

●キュイ、ツェーザリ
1835-1918／ロシア／第53回

●バラキレフ、ミリイ
1837-1910／ロシア／第53回

●ムソルグスキー、モデスト
1839-1881／ロシア／第53回

●リムスキー＝コルサコフ、ニコライ
1844-1908／ロシア／第53回

●ブラームス、ヨハネス
1833-1897／ドイツ／第23回

●バダゼフスカ、テクラ
1834-1861／ポーランド

●サン＝サーンス、カミーユ
1835-1921／フランス

●ビゼー、ジョルジュ
1838-1875／フランス／第150回

ヴェルディ　グノー　スメタナ

バダゼフスカ　サン＝サーンス

- チャイコフスキー、ピョートル・イリイチ
  1840-1893／ロシア／第7回
- ドヴォルザーク、アントニン
  1841-1904／チェコ／第49・103回
- グリーグ、エドヴァルド
  1843-1907／ノルウェー
- エルガー、エドワード
  1857-1934／イギリス／第109回
- プッチーニ、ジャコモ
  1858-1924／イタリア／第60回

◆近代・現代

- ドビュッシー、クロード
  1862-1918／フランス／第41回
- シベリウス、ジャン
  1865-1957／フィンランド／第80回
- サティ、エリック
  1866-1925／フランス
- 幸田 延　こうだ のぶ
  1870-1946／日本／第11回
- シェーンベルク、アルノルト
  1874-1951／オーストリア→アメリカ／第114回
- ラヴェル、モーリス
  1875-1937／フランス
- 滝 廉太郎　たき れんたろう
  1879-1903／日本
- バルトーク、ベラ
  1881-1945／ハンガリー→アメリカ／第153回

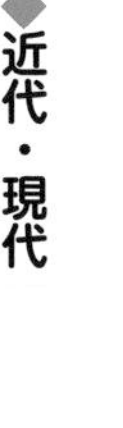

グリーグ　サティ　ラヴェル　滝 廉太郎

- 山田耕筰　やまだ こうさく
  1886-1965／日本／第58回
- 中山晋平　なかやま しんぺい
  1887-1952／日本
- デュレ、ルイ
  1888-1979／フランス／第54回
- オネゲル、アルテュール
  1892-1955／スイス・フランス／第54回
- ミヨー、ダリウス
  1892-1974／フランス／第54回
- タイユフェール、ジェルメーヌ
  1892-1983／フランス／第54回
- プーランク、フランシス
  1899-1963／フランス／第54回
- オーリック、ジョルジュ
  1899-1983／フランス／第54回
- プロコフィエフ、セルゲイ
  1891-1953／ロシア
- 成田為三　なりた ためぞう
  1893-1945／日本
- 宮城道雄　みやぎ みちお
  1894-1956／日本
- ガーシュイン、ジョージ
  1898-1937／アメリカ／第142回
- ショスタコーヴィチ、ドミトリー
  1906-1975／ロシア／第108回
- 平井康三郎　ひらい こうざぶろう
  1910-2002／日本
- メノッティ、ジャン＝カルロ
  1911-2007／イタリア→アメリカ／第107回

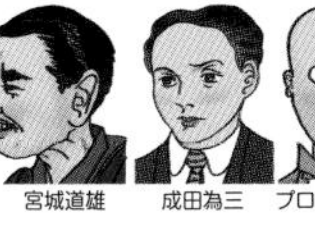

中山晋平　プロコフィエフ　成田為三　宮城道雄　平井康三郎

- ケージ、ジョン
  1912-1992／アメリカ／第28回
- ブリテン、ベンジャミン
  1913-1976／イギリス／第107回
- ピアソラ、アストル
  1921-1992／アルゼンチン
- 中田喜直　なかだ よしなお
  1923-2000／日本／第163回
- 團 伊玖磨　だん いくま
  1924-2001／日本
- 林 光　はやし ひかる
  1931-2012／日本

◆作曲家以外

- 観阿弥　かんあみ
  1333-1384／日本
- 世阿弥　ぜあみ
  1363?-1443／日本
- カラヤン、ヘルベルト・フォン
  1908-1989／オーストリア／第144回
- バーンスタイン、レナード
  1918-1990／アメリカ／第144回
- カラス、マリア
  1923-1977／アメリカ→フランス／第149回
- グイード・ダレッツォ
  991 または 992-1050／イタリア／第3回
- グレゴリウス１世
  540?-604／イタリア

ピアソラ　團 伊玖磨　林 光　観阿弥　世阿弥　グレゴリウス１世

あとがき

感謝にかえて……

振り返ってみて、かなりの分量を書いたな、と思います。この他に年間三百回を超える本番や大学の勤め、作曲や放送の仕事もしていたのですから。しかしそれは多くの人の手助けがあってのことでした。まず連載時の朝日小学生新聞編集部の浴野さんと、字の上手な岡本さん。そして学研プラスOBの栗原さんには、迅速に適確な再編集をしていただきました。またクリエイティブ・ノアの斎藤さんには、いつもながら絵のコンピューター処理に携わっていただきました。そして何より、コロナ禍中でBとNの面倒を見てくださった、Mのご両親、松島美弓さんと康夫さん（献呈したご夫妻）、特に母上には毎晩心のこもったお弁当を作っていただきました。以上記した方々が一人でも欠けたなら、この本は出なかったでしょう。

音楽も同じことで、多くの人たちによって営まれているのです。一人で演奏できるピアノも、製造や調律の方々、それに聴衆や批評家が必要です。しかしこの文を書いている現在、世界の音楽文化は停まってしまいました。

人と人との関わりを禁じられる毎日です。それでもBは音楽を作り出した人間の力を信じています。一日も早く、このあとがきを読んで「そんなこともあったな」と思えるようになる日が来ますように！

そんな中で、Bはこれまでにも増して、あらん限りの愛情を注いで作り上げたつもりです。どのページの、どの文、どの絵にも強いメッセージが込められています。小学生のためだけではなく、全ての年齢の人のための本になりました。もし、まだ仕事を続けることが許されるなら、もう一度初心に返って音楽の場に戻りたいと切望しています。そして、少女漫画を含む美術の文章もぜひ書いてみたいのです。どれも美しい芸術の分野だからです。

最後になりましたが、栗原さんの意志を継いで出版の実務に携わってくださる学研プラスの野村さん、そして読者の方々に心から感謝します。ぜひお目にかからせてくださいね。

2020年9月　青島広志

青島 広志（あおしま ひろし）

1955年東京生まれ。東京藝術大学作曲科および大学院修士課程を首席で修了。代表作にオペラ「黄金の国」（遠藤周作原作）、「火の鳥」（手塚治虫原作）、「黒蜥蜴」「サド侯爵夫人」（三島由紀夫原作）、管弦楽曲「その後のピーターと狼」、合唱曲「マザー・グースの歌」など多数。現在では作曲家、ピアニスト、指揮者としての活動のほか、コンサートやイベントのプロデュースも数多く手掛けている。テレビ朝日「題名のない音楽会」（ブレーン、アドバイザー歴任）、日本テレビ「世界一受けたい授業」などに出演。また、イラストレーター、文筆家としても活躍中。著書に『ヨーロッパの忘れもの』『あなたも弾ける！ ピアノ曲ガイド』『クラシックの時間ですよ！』『美しい伴奏による唱歌50選』（学研）他多数。東京藝術大学講師、洗足学園音楽大学客員教授、都留文科大学元講師。日本現代音楽協会、日本作曲家協議会、東京室内歌劇場会員。

音楽のこと お話ししましょう！
ブルー・アイランド先生の 週刊おんがく通信
2020年11月3日 第1刷発行

著 者　青島 広志
装丁・本文デザイン　株式会社 クリエイティブ・ノア
DTP　株式会社 明昌堂
編集協力　栗原 きよみ（合同会社 ケイ・ウイズ）

発行人　松村 広行
編集人　松村 広行
編 集　野村 実咲

発行所　株式会社 学研プラス
〒141-8415 東京都品川区西五反田2-11-8

印刷所　中央精版印刷 株式会社

●この本に関する各種お問い合わせ先
本の内容については、下記サイトのお問い合わせフォームよりお願いします。
https://gakken-plus.co.jp/contact/
在庫については　Tel 03-6431-1250（販売部）
不良品（落丁、乱丁）については　Tel 0570-000577
学研業務センター　〒354-0045 埼玉県入間郡三芳町上富279-1
上記以外のお問い合わせは　Tel 0570-056-710（学研グループ総合案内）

*本書は、2017年1月から2020年3月まで『朝日小学生新聞』（朝日学生新聞社発刊）に連載された、

「ブルー・アイランド博士の 音楽はお好き?」をまとめて、加筆・再編集し、単行本化したものです。